萧乾 主编

新编文史笔记丛书

第一辑

8

秦中旧事

徐之林题

陕西省文史研究馆 编

张培礼 孔珞 江弘基 主编

中华书局

目录

序 ………………………………… 萧　乾

英烈千秋

毛主席在陕北住过的村庄 ……… 张培礼 1
周总理到子洲 …………………… 张石秋 3
朱总司令郝岔行 ………………… 姜永明 6
彭总在南峰沟村 ………………… 张培礼 7
徐帅破冰渡汉江 ………………… 刘　乐 8
红军过桔园 ……………………… 刘　乐 8
陶铸题诗紫柏山 ………………… 张培礼 9
白求恩大夫在韩城 ……………… 冯光波 10
高德辉烈士与其父高士龙 ……… 冯光波 11

抗战纪闻

朱德名诗《出太行》 …………… 张培礼 13
八路军由芝川东渡抗日 ………… 冯光波 14
贺龙在关中发动群众抗日救国 …… 李大树 15
抗战时期陇海铁路的闯关火车 …… 冯健龙 16

森曾太郎在镇安 …………………… 胡晋生 18
西北摄影队在榆林 ………………… 霍世春 19
汉中的木炭汽车 …………………… 沈堂印 21

辛亥点滴

曹印侯力挫清军 …………………… 张肯堂 23
范紫东痛陈迁都之非 ……………… 袁富民 25
讨袁之役的前敌指挥张肇基 …… 李　星 26

名人轶事

贺龙办“民众戒烟所” …………… 李大树 27
梨子滋味的故事 …………………… 张文辉 28
张学良为原“东大”礼堂基石题词 … 王昭洲 29
于右任求贤 ………………………… 王复忱 30
一碗花面结金兰 …………………… 李逢春 31
赵寿山的特制筷子 ………………… 李大树 33
赵寿山抢修五门堰 ………………… 刘　乐 33
张季鸾回故里 ……………………… 霍世春 34
于右任席间谈发菜 ………………… 辛介夫 35
邓宝珊在榆林“桃林山庄” ……… 张　泊 36
郭希仁与关中水利 ………………… 张肯堂 37
朱庆澜为饭摊题字 ………………… 朱国英 39
马师儒晋谒毛泽东 …… 王德润　黎顺清 40
张凤翙二三事 ……………………… 王增尧 41

名人足迹

茅盾随朱德谒黄陵 ………………… 沈　楚 43

胡志明参观杜公祠 …………………… 祝生明 44
张学良在青龙岭 ……………………… 翟　曜 46
护送郑位三 …………… 张鸿济 刘运卿 47
延安文化沟 …………………………… 王汶石 49
赵寿山在汉中 ………………………… 李大树 51

三秦名胜

清帝避难的零口行台 ………………… 李俊民 53
塞上碑林传佳话 ……………………… 李永清 55
名人黄陵留墨迹 ……………………… 张培礼 57
三元风洞最宜人 ……………………… 李俊民 59
灞柳风雪 ……………………………… 潘振扬 60

文人佳话

张恨水谈"鸳鸯蝴蝶派" ………… 荆梅丞 62
吴宓教授讲"红楼" ………………… 刘善继 63
李敷仁与钉锅匠的文墨之交 …… 张明成 65
杨醉乡的诨名 ……………………… 李若冰 66
牛兆濂二三事 ……………………… 李耀琚 68
史一三弃官从教 …………………… 李俊民 69
张季鸾评《永昌演义》 ……………… 高治中 70

梨园载笔

秦腔正宗李正敏 …………………… 魏　怡 72
李十三和他的"十大本" ………… 高　泽 74
渭北"一竿旗" …………………… 高　泽 74
长安何家营鼓乐社 ………………… 翟　曜 76

诗坛画苑

徐悲鸿谈画马 …………………… 王企羊 78
慈禧赞赏甘棠画 ………………… 张培礼 79
阿房片瓦结诗缘 ………………… 刘粤基 80
马彻兰绝命诗 …………………… 李逢春 81
武志平《马道驿闻鸡》诗 ………… 陈泽孝 84
陈浅伦的《狱中诗》 ……………… 刘粤基 85
韩干画马图碑 …………………… 雍致昌 87

官场百态

于右任扔手帕 ………… 李逢春 彭世仪 90
茹欲立拒官 ……………………… 辛介夫 91
清官邓长耀 ……………………… 李俊民 92
“白面包公”张布衣 ……………… 李俊民 93
“租石捐”与“四倍加征” … 冯树仁 陈鸿钧 95
既“焚”且“休” …………………… 纪国庆 97

文物碑记

昭陵六骏拓片创制人 …………… 张培礼 98
康有为旅陕留下的一块诗碑 …… 荆重敏 99
刘晖为朝廷“罪人”撰墓志 ……… 祁恒文 100
“三绝碑” ………………………… 张　泊 102
冯玉祥在临潼的几件遗物 ……… 张肯堂 103
千唐志斋藏石与张钫 …………… 张鸣铎 104

工商市肆

榆林易马城与关帝庙的互市 …… 史书博 106
神木——铜器之乡 …………… 高 峰 108
"谁有?谁有?""谁要?谁要?" …… 江弘基 109
话说"皮毛之路" …………… 李永清 111

珍宝异趣

中国大陆第一口油井 ………… 张晓莉 113
孙富岭为慈禧开汽车 ………… 沈堂印 115
衡张氏轶事 ……………… 王兴元 116
三边有"四宝" ……………… 张 泊 118
佛诀 …………………… 陈起舜 119

往事钩沉

谈"虎"变色,惨景犹新 ……… 张培礼 120
宁羌红灯教 ……………… 宋文富 121
临潼衙门朝北开 …………… 李俊民 122
宁羌改名 ………………… 宋文富 124
清末两个"斩监候" …… 江弘基 段国超 125

三秦风情

安塞腰鼓 ………………… 张文辉 128
灯游会 …………………… 高 峰 129
葫芦头 ……………… 刘崇正 张福英 131
岐山挂面古今谈 ……… 张天麟 李慎行 132
辇止坡老童家腊羊肉 ………… 田克恭 133

红豆腐 …………………………… 王兴元 134
神木粉皮 ………………………… 高 峰 135
黑米及其传说 …………………… 彭涤龙 136
镇安大板栗 ……………………… 胡晋生 137
临潼石榴 ………………………… 赵小斌 139
陕西十大怪 ……………………… 袁庆武 139

西安回民习俗

西安回民婚俗 …………………… 赵明新 142
西安回民食俗 …………………… 赵明新 145
西安回民丧俗 …………………… 赵明新 147

后　记 ………………………………………… 150

序

萧　乾

读书界向来对野史有所偏爱。野史大多是信手拈来的历史片断,且往往出自亲历者之手。文直事核,不虚美,不隐恶,而文笔潇洒自如,意味隽永,自然朴实,篇幅不长;可以摊开来仔细咀嚼,也可供茶余酒后、行旅倥偬中,随手浏览。

鲁迅在《华盖集》中,曾几次对野史表示过好感。在《忽然想到》一文中写道:“历史上都写着中国的灵魂,指示着将来的命运,只因为涂饰太厚,废话太多,所以很不容易察出底细来。正如通过密叶投射在莓苔上面的月光,只看见点点碎影。但如看野史和杂记,可更容易了然了,因为他们究竟不必太摆史官的架子。"又在同书《这个与那个》一文中说:"野史和杂说自然也免不了有讹传,挟恩怨,但看往事却可以较分明,因为它究竟不像正史那样地装腔作势。"

全国文史研究馆所编的《新编文史笔记》丛书,内容也属野史杂说的范畴。我们希望这些以亲闻、亲见、亲历为主的轶事掌故、琐闻杂记,写人、事而摒除误会曲解,述历史而符合真实面目。

作为一种短隽有味,文字清奇而又雅俗共赏的文学体裁,笔记在中国具有悠久的传统。它始自魏晋,盛行于宋代。南朝刘义庆的《世说新语》,北宋沈括的《梦溪笔谈》,南宋陆游的《老学庵笔记》,明朝张岱的《陶庵梦忆》,清朝纪昀的《阅微草堂笔记》以及20世纪30年代初丰子恺的《缘缘堂随笔》,都是文学史上的奇葩。然而,近年来笔记乏人问津。因此,我们出这一套书,也包含着挽回颓势之意。

全国三十二所文史研究馆拥有雄厚的稿源,两千多位馆员和各馆联系的社会人士,都是丛书的撰稿人。他们都是文史界的耆宿,见多识广,阅历丰富:有的反对过帝制,有的在"五四"运动中扛过大旗,他们目睹过军阀的横行霸道,也经历过艰苦卓绝的八年抗战。这些历尽沧桑的饱学之士,他们的所见所闻,都是弥足珍贵的史料。

本丛书分辑出版，分别由各地文史研究馆编辑，内容亦以本乡本土为主。因此，各册势必具有浓厚的地方色彩。

本着笔记固有的传统，所收各文题材不嫌庞杂。举凡与文史有关的政治、经济、军事、文化、社会等方面，或记闻见杂事，或叙往昔交游，或忆社会百态，均在搜罗之列。时间跨度则自清末以迄1949年为止。这正是中华民族从闭关自守到走向世界，从落后羸弱到奋发图强，是天翻地覆、风起云涌的大半个世纪。其间，发生过多少可歌可泣的事迹，涌现过多少杰出的人物。以这一时间跨度为背景题材写出的笔记作品，必然是内容最为丰厚的。

在选稿标准上，我们坚持史料一定要真，内容要新；既要防止以讹传讹，也力避炒冷饭。在写法上务求短小精悍、生动活泼。每篇以千字为度，希望借此在文风方面，提倡一下简约。在版式上，则想做到既利于阅读，又便于携带。

恳切希望文史界方家及广大读者，不吝赐正。

毛主席在陕北住过的村庄

张培礼

一

1935年10月,毛主席率领中央红军到吴起镇,当时住在城关新窑院。劳山战役后,毛主席由吴起来到甘泉县的下寺湾。下寺湾是当时陕甘边区苏维埃政府驻地。同年11月到达甘泉县南象鼻子湾、史家湾,召开了红军干部会议。同月,毛主席在富县的宽坪村指挥了直罗镇战役。月底, 又在富县东村召开了红一方面军营以上干部会议,总结了直罗镇战役。

1935年12月初至1936年6月，毛主席住在子长县城内。1935年12月,主席主持召开了中央政治局瓦窑堡会议，制定了抗日民族统一战线政治路线。会议后作了《论反对日本帝国主义的策略》的报告。

1936年毛主席率工农红军东征，过黄河入山西，在清涧袁家沟写下了著名的诗篇《沁园春·雪》。红军东征前，毛主席在延长县城内居住,召开重要会议,决定东征路线和战略方针。同年东征回陕北后,住延川县杨家圪台(现名拓家川),发表了《停战议和,一致抗日》的通电。又在刘家渠、太白寺居住,主持了红军团以上干部会议,总结了东征,部署了西进。

1937年8月,毛主席住洛川县冯家村(今名永乡)，亲自主持召开了中共中央政治局扩大会议,通过了《为动员一切力量争取抗战胜利而斗争》的决议,即著名的《抗日救国十大纲领》。

二

1947年4月13日,毛主席离开延安住安塞县北王家湾。在这里住了五十八天,写了《关于西北战场的作战方针》和《蒋介石政府已处在全民包围之中》两文。同年由王家湾迁居靖边县之青阳岔,发表了《中共中央关于暂时放弃延安和保卫陕甘宁边区的两个文件》中的《一九四七年四月九日通知》。后又在靖边县小河村,主持召开了前委扩大会议。同年8月,毛主席住横山县魏家楼乡萧崖则村和石湾乡的小水沟，指挥全国战局。同年3月28日至8月8日，在子洲县的邱家坪、高家塔、巡检司三个村庄住宿。同年9月，毛主席住佳县梁家岔，亲自指挥了沙家店战役。在朱官寨时，发表了《解放战争第二年的战略方针》。同年10月住神泉堡，发表了《中国人民解放军宣言》等著作。在佳县时给中共佳县县委题词："站在最大多数劳动人民的一面。"同年12月22日到25日，毛主席在米脂县杨家沟主持召开了中央委员会议，发表了《目前形势和我们的任务》。在杨家沟住了一百二十天。

1948年3月23日，毛主席从吴堡县的川口东渡黄河时，曾亲切地说："陕北是个好地方。"

艰苦的战争岁月过去了。然而在和平建设时期，陕北人民仍然怀念革命领袖转战陕北时住过的村庄。笔者将两年来三访延安、四上榆林所搜集到的有关革命纪念地的资料，以年月先后为序写出本文，以资研究毛主席革命活动之参考，故而志之。

周总理到子洲

张石秋

1947年春，蒋介石以二十多万军队从南西北三面包围陕甘宁边区。胡宗南部队闯进边区后,又北向绥德、米脂扑来。

暮春的一个傍晚,小理河川道下游苗家坪乡政府来了两个穿普通老百姓衣服的人,一个四十多岁,另一个年纪较轻,自称是十五支队的到这里了解地方情况。乡长是当地庄稼人,是从农村积极分子中选拔上来的,身上披着没有布面的羊皮袄,一面接待,一面打发文书去检查坚壁清野工作。

客人就是周恩来同志和他的一个随员。在蒋胡军的进犯下,毛主席、周副主席为了在运动战中歼灭敌军,于3月18日主动撤出延安,不久在青化砭全歼敌第三十一旅,周副主席在安塞真武洞祝捷大会上发表重要演说,给了边区人民极大的鼓舞。在向米脂、佳县转移途中,周副主席亲自深入群众,了解人民生活和备战情况,只带随员一人,连马也不骑。

周副主席在苗家坪走访了几个村,看望了好几家老农、自卫军和贫困户,夜晚回到乡政府。乡长一面回答他的询问,一面在炕头火炉上支锅做饭,煮小米和山药蛋。周副主席态度安详稳静,带着深沉严肃而又和蔼亲切的表情,神情专注。在他那乌黑的浓眉下,目光炯炯,就好像要射入对方内心探究着什么。"现在正是青黄不接,老乡们的小米、山药蛋够吃吗?""粮食埋在山里是不是安全?""基干自卫军都干些什么?会埋地雷吗?"一一询问。他鼓励乡长:"你可是一乡之长,担子不轻啊!"乡长知道他不是一般人。

那么是谁呢?他猜不透,战时也不便深问。夜间要将他们安排在有宽敞大炕的农户家里,周副主席坚决不同意:“深更半夜可不要打扰人家,咱们一起睡这个炕不是很好嘛。”他们三人共盖着一条破被子和一件烂羊皮袄。

次日清早,周副主席来到双湖峪子洲县政府门口,询问县委的地址。当时我在子洲县政府工作,正在挖地栽茄子,我要派人送他去,他阻止说:“你们正忙着生产,怎么能耽误呢?知道了路,我们能够找到的。”

第二天我到了小理河上游周家崄。镇上正逢集。农村的老乡赶着毛驴驮着农产品从各个山沟走来。虽是战时,逢集仍然熙熙攘攘,街上路上尽是人群。近午,一架敌人飞机冲来了,嗒、嗒、嗒,扫射起来,人群惊慌乱跑。忽然,一位有胡茬子的首长跳上一座较高的石窑平顶上,冒着敌机扫射的危险,高喊:“就地卧倒!”“不要乱跑!”“乱跑有危险!”他从窑顶东头走到西头,挥手,呼叫,俨然一位防空指挥员。老乡们立刻卧倒。房屋墙壁上留下了许多弹洞,驴群受了些损伤,而赶集的人却避免了一场血肉纷飞的惨祸。我在区委认出了刚才指挥防空的就是昨天在双湖峪询问县委地址的人。一见面,那人便含笑说:“咱们又见面了。”

过了一段时间,人们从县委领导同志那里得知周副主席曾到这里视察过,到县委的前一天曾在苗家坪住宿过。随后不久,毛主席和中央

机关从小理河川道过去，到了佳县。县上干部对苗家坪乡长说："你真幸运，能亲耳听到周副主席的指示。"乡长顿时着急起来，举拳直打脑袋："咋、咋、咋那么糊涂！咋那样接待副主席！那天夜里，副主席把被子、皮袄都盖在我身上，他可冻得够呛！我这脑袋瓜咋这样不开窍！"

朱总司令郝岔行

姜永明

民国二十七年(1938)冬，八路军总司令朱德率十余人冒着寒风，策马保安县(今志丹县)郝岔村，亲自视察了是年秋从富县茶坊迁来这里的八路军兵工厂(陕甘宁边区第二兵工厂)。

粤人周厂长详尽地向朱总汇报了数月来的建厂经过（修房十九间）和目前的生产程序、规模。朱总饶有兴味地参观了木器、铁器、钳工、机床四个股和七八十名工人的生产状况，了解到该厂因生产原材料匮乏，每周仅可制作三至五支步枪，且多系用敌占区拨回的铁轨制作而成。

朱总与大家同吃同住四天后返回延安。

彭总在南峰沟村

张培礼

记得 1939 年春，在我的家乡山西襄垣，千家万户流传着八路军彭德怀副总司令教育战士的一件事。这件事至今我记忆犹新。

当时彭副总司令住在襄垣县南峰沟村。一天中午，一位小八路军战士爬上房东的大榆树，挑下了搭在树上的喜鹊窝，逗得一群围观儿童欢呼雀跃。这件事被彭总知道了，他便把挑喜鹊窝的小战士叫到跟前问他："此地老乡们为什么喜欢喜鹊？"站在彭总面前的小战士，两个眼珠骨碌转，回答不了。于是，彭总对他说：这里群众有两句顺口溜："喜鹊早上门前叫，定有贵客亲友到。树上搭起喜鹊窝，全家欢乐喜事多。"说罢，叫这位小战士到树主人家里赔情道歉。树主人对此心感不安，便找彭总当面讲情说："首长，小战士挑了喜鹊窝，有啥了不起，我还没告状，你就批评他，要求严格了。"彭总听了树主人的话后，笑着说："挑了喜鹊窝虽是小事，可是却破坏当地群众爱喜鹊的风俗。所以，我要教育他懂得尊重群众的风俗习惯。"这件事，很快传遍了南峰沟村，传遍了襄垣，传遍了太行，成为当时太行人民赞颂彭总体贴民情教兵爱民的佳话。

徐帅破冰渡汉江

刘　乐

1932年12月11日夜，红四方面军来到汉江岸边。大江断路，前进受阻。红军如果不在天亮前过江，后面的国民党军队就将追至。于是，徐向前将军亲自查探江水深浅，决定从城固西三十里的柳林铺一带渡江。时值“三九”，天寒地冻，敌人又坚壁清野，江无渡船。水淹至马鞍，寒风刺骨，加之红军对河道的情况不熟悉，泅渡非常困难。在这种情况下，徐向前总指挥带头下河，他在前破冰开路，张国焘等总部领导尾后泅渡，刘伯承的夫人汪荣华、王明的妹妹王瑛，也毅然泅水渡江。当红军全部南渡后，敌军方才赶到，只能望江兴叹了。

红军过桔园

刘　乐

1932年12月10日，红四方面军打破了国民党重兵的围追堵截，离开鄂豫皖根据地，翻越秦岭，抵达城固县北的升仙村口。先头部队在总指挥徐向前的指挥下，击溃了国民党两个团兵力的阻击。升仙村盛产桔子。红军到达时，桔园中红桔累累，鲜艳诱人。自西征以来，红军还是第一次见到红桔，心情格外喜悦。可是红四方面军三万多人，从总部领导徐向前到战士，谁也没有摘食一颗桔子，群众看到红军军纪如此严明，争相传颂。其中有这样一首民歌："红四军，心肠好，为人民，打土豪，爱人民，不骚扰，升仙朱桔红丹丹，大军过后颗不少。"至今广为流传。

陶铸题诗紫柏山

张培礼

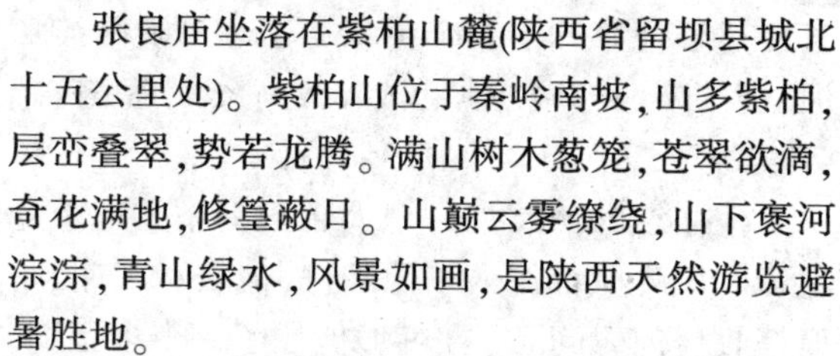

张良庙坐落在紫柏山麓(陕西省留坝县城北十五公里处)。紫柏山位于秦岭南坡，山多紫柏，层峦叠翠，势若龙腾。满山树木葱笼，苍翠欲滴，奇花满地，修篁蔽日。山巅云雾缭绕，山下褒河淙淙，青山绿水，风景如画，是陕西天然游览避暑胜地。

正当抗日烽火燃遍中华大地，驱逐日寇、还我河山的怒潮震惊敌胆之时，无数抗日爱国志士，路过紫柏山，憩居张良庙，触景生情，抚今追昔，留下了篇篇豪言壮语，畅抒抗日救国情怀。1984 年夏，余路过张良庙时，在该地文管所收藏的诸多名篇中，抄录了众人称道的诗句。其中有陶铸同志 1940 年在赴延安途中路经紫柏山，宿张良庙，写下的七言绝句一首：

停车闲步瞻遗容，敢教亡秦抒所衷。
遥望延城光万丈，轮声欲起夕阳红。

此外，我又看到高树勋将军书写的“扫除倭寇，再来作伴”的摩崖题字。这是他壬午年(1942)夏率第三十九集团军转战冀鲁移防湖北道经张良庙时写的，表现了一位堂堂爱国将领的气概。

白求恩大夫在韩城

冯光波

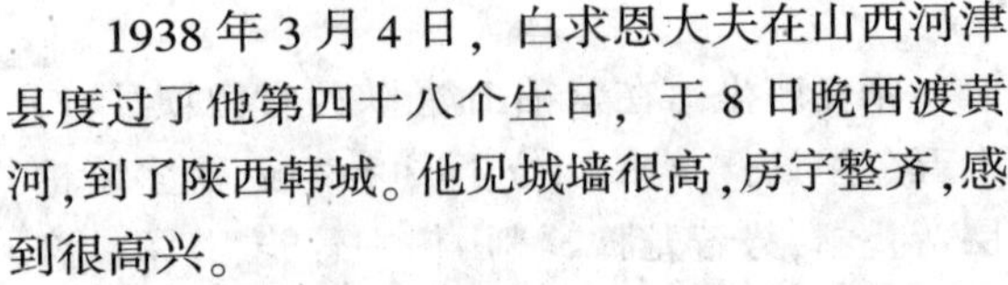

1938 年 3 月 4 日，白求恩大夫在山西河津县度过了他第四十八个生日，于 8 日晚西渡黄河，到了陕西韩城。他见城墙很高，房宇整齐，感到很高兴。

他住在韩城北关一个大店里，中共地下党组织和民先队都派人来慰问他，他表示了谢意，但拒收任何慰问品。在韩城他住了一个多星期，他在日记中记载了这时的情况：“忙得焦头烂额，没时间动笔。我们在韩城停留了一个多星期……多么紧张的一星期！我给许多伤员治病。同时又有许多患病的老百姓包围着我。我所治的病有肺结核，有卵巢炎，有胃溃疡，什么病都有。

我在设于一座庙里的部队后方医院工作了几天之后，那儿的外科主任和全体护士都要跟我去延安。当然我们是不能带他们去的。”3 月 19 日，他离开韩城去西安八路军办事处，并在西安停留四天之后，返回延安。

高德辉烈士与其父高士龙

冯光波

共产党员高德辉出生在清末关中一个书香之家。其父高士龙，举人，刚直不阿，富有正义感，关心国事。光绪二十一年(1895)，清廷与日本签订了《马关条约》，国人怨声载道。同年，举人于北京会试，众愤沸腾，以康有为为首发起“公车上书”，高士龙当时在京应试，果决赞同，列名签署。

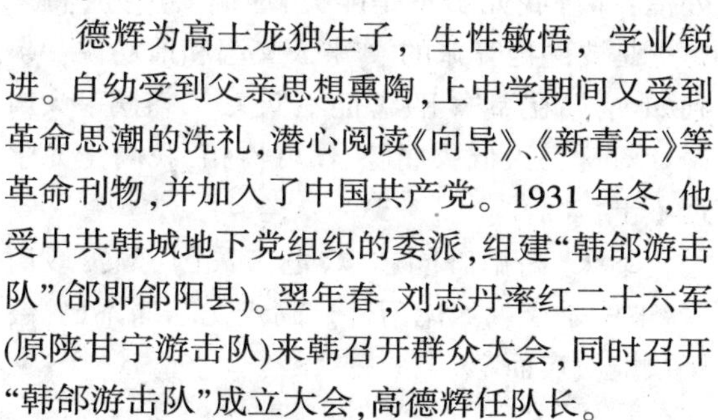

德辉为高士龙独生子，生性敏悟，学业锐进。自幼受到父亲思想熏陶，上中学期间又受到革命思潮的洗礼，潜心阅读《向导》、《新青年》等革命刊物，并加入了中国共产党。1931 年冬，他受中共韩城地下党组织的委派，组建“韩郃游击队”(郃即郃阳县)。翌年春，刘志丹率红二十六军(原陕甘宁游击队)来韩召开群众大会，同时召开“韩郃游击队”成立大会，高德辉任队长。

此后，高德辉领导游击队在韩郃一带打击

土豪劣绅,进行分粮斗争。当时,韩郃地方政府调派驻军和保卫团,对游击队合围包剿。游击队终于弹尽无援,伤亡惨重,德辉仅率数人冒死突围。此后,他又秘密重新组建游击队。他的活动被一反动地主发现,这地主向当地驻军和团总告了密。德辉于当晚被捕,受酷刑审讯,坚强不屈,大呼只求速死。

当时,有一与高士龙有交谊的绅士,专程访晤高士龙说:"你家发生这件不幸事,我各方探询消息,得知这一案件处理的权柄,完全掌握在保卫团老总强某某之手。你平时对此人很鄙视,不与交往,他为人刻薄,心怀芥蒂。"高士龙急切插话:"生杀之权在握,任他所为!"来人接着说:"此人已扬言:'此案性质属于危害民国,反叛政府,当在极刑处决之列。高某只一独生子,事关家门祸福。他平日倔犟,事到如今,只要他能前来低头告饶,即可转祸为福。'"高即拍案起立大声说:"请转告他,他认为我儿子是土匪,就任他处治;如果我儿子不是匪类,他们要严办,将来历史是要同他算账的!"来人又温和地劝说:"事到如今,站在屋檐下,怎能不低头。"高摆手大声说:"对这类人低头屈膝,作可怜相,我高士龙永远不干!"

不久,高德辉同志以"危害民国,颠覆政府罪"被枪杀于韩城南门外。高士龙悲痛不已,终于饮恨成疾而卒。

朱德名诗《出太行》

张培礼

1940年5月，朱德总司令从抗日前线太行山抗日根据地武乡县王家峪出发回延安。在他离别太行山区时，激情满怀，写下了著名诗篇《出太行》：

群峰壁立太行头，天险黄河一望收。
两岸烽烟红似火，此行当可慰同仇。

以太行群峰屹立，赞喻我太行山抗日根据地的军民团结就像太行山的群峰壁立，坚不可摧。他的诗篇大大鼓舞了太行军民抗战必胜、战胜困难的决心和信心。当时不少党政军干部(包括我自己)都把诗抄在笔记本上,有的写在办公室墙壁上,写在墙报上,静心领会,从中吸取智慧和力量。

八路军由芝川东渡抗日

冯光波

1937年抗日战争开始后，国共两党第二次合作,党领导的中国工农红军改编为八路军。同年八月底,朱德、彭德怀、贺龙、刘伯承等高级将领,率八路军一一五、一二〇、一二九三个师,取道韩城芝川东渡黄河,开赴华北抗日前线。韩城中共地下党和民主进步人士发起组织了成千上万的教师、学生和广大农民,热烈迎军。他们到处设茶水站和休息站，送茶水和瓜果慰劳八路军,军民间洋溢着一种融洽气氛。这加强了军民团结,鼓舞了军民同仇敌忾的抗战意志。

八路军由韩城芝川东渡抗日，是抗日战争中的壮举。八路军的高大形象,从此永远深刻在韩城人民的心中。

贺龙在关中发动群众抗日救国

李大树

1936 年西安事变后，中共为了和平解决事变，制止内战，命令红军三大主力南下，驻军渭北一带。贺龙将军率红二方面军经云阳、三原、瓦窑头，于 12 月 20 日进驻富平庄里、华朱、肖华一带。当时司令部及直属部队驻华朱。

1937 年 2 月 6 日，红军部队移驻薛镇、底店、曹村到贤和铜川的陈炉一带。4 月 16 日，又集中移驻庄里、觅子和流曲。红军在进行休整"扩红"的同时，广泛开展抗日宣传工作，特别是在协助地方建立抗日救国会方面，做出显著成绩。他们每到一处，就张贴布告，刷写标语，深入群众，宣传红军"停止内战，一致抗日"的主张。驻庄里镇时，贺龙、甘泗淇、朱瑞等领导同志，都亲自向立诚中学师生进行抗日宣传教育，传播爱国主义、共产主义思想。各部都通过召开军民大会、座谈会、联欢会等形式，宣传团结抗日的重要意义，揭露、粉碎蒋介石"攘外必先安内"的阴谋。1937 年农历三月十八日，借纪念胡景翼将军逝世十二周年的机会，在庄里召开了规模空前的由贺龙主持的军民纪念大会。会上甘泗淇讲话，朱瑞领呼："继承胡将军的光荣革命传统，

将革命进行到底!”“打倒日本帝国主义!”等口号。把纪念会开成了宣传抗日救亡的动员大会。经过宣传,富平人民的抗日情绪日益高涨,各地纷纷成立抗日救国会,有组织地发动群众开展参军、拥军活动,掀起群众筹军粮、作军鞋、捐物资、送子弟参军的热潮。当时在淡村、底店先后成立了两个新兵连,在薛镇成立了一个新兵补充团。全县参军青年共计千余人。他们都跟随贺龙将军奔赴抗日前线,英勇杀敌,为消灭日本帝国主义和中国人民解放事业作出了一定的贡献。贺龙将军爱国爱民、艰苦奋斗的革命精神,永放光芒。

抗战时期陇海铁路的闯关火车

冯健龙

抗日战争时期,我国铁路交通主要动脉之一的陇海路,自洛阳往东被战火切断,仅洛阳至宝鸡一段,尚可勉强通车。使用的客车系比利时造的“绿钢皮”,构造十分考究。由于战乱,无力维修,座位、门窗破烂肮脏。机车用煤质量奇差,火力不足,无法维持正常速度,时走时停,自洛阳至宝鸡如今只需十小时,而当时却需四至五天。记得交通大学内迁师生曾在沿路土崖上大字书写:“交大内来师生在此推火车留念!”

更加令人难忘的是潼关风陵渡附近的“火车闯关”。这里所说的“关”,并非潼关,而是风陵渡黄河对岸日军向过往列车发射的炮弹。当时日军已占据黄河北岸,并在沿岸设有火炮阵地。陇海路列车行至河南灵宝与陕西潼关交界处,便处在日军大炮射程之内。但幸有隧洞及土塬相隔,日军能听见机车轰鸣声,却看不见车身,便根据估测的距离及声音的来向,盲目发炮。列车司机掌握日军发炮规律,摸索出一套躲避方法。先将火车停在隧洞出口处原地不动,长鸣汽笛,并伴发机车开动的喷气声。日军闻声开炮。待敌人第一阵炮弹过后,乘其填弹的空隙,司机猛驶列车前进,闯出敌炮射程之外。一方炮击,一方“闯关”,这一局面持续数年之久,列车很少受损,陇海路西段交通也从未因日方炮击而被切断。

列车“闯关”时,为了安全起见,旅客须下车步行,穿过灵宝与潼关两县相邻地段,然后再登车前进。

陇海路为当时沦陷区人民逃奔内地的一条主要通道。内地的人有来自东北、华北及华东各省的知识分子及学生,但更多的是河南省老百姓。列车车顶上也坐满了人,坠车丧命者,时有所闻。灵宝至潼关一段须步行十余里,一路难民,扶老携幼,背箱挑担,络绎不绝。路边土坡之上,饿殍横陈,无人收殓,惨不忍睹。

森曾太郎在镇安

胡晋生

1946 年 10 月 14 日，日本籍新四军战士森曾太郎在镇安城壮烈牺牲,终年三十岁。

森曾太郎原是日本军人，在抗日战争中被我八路军俘虏。后经日本共产党总书记野坂参三在延安教育,他参加了“日本反战同盟”,成为“日本反战同盟”第五支部盟员。1945 年日本投降后,他和一批盟员不愿回日本,便自愿参加了新四军。

1946 年 6 月中原突围战役开始后，森曾太郎等十余名“日本反战同盟”盟员被编入我中原军区干部旅,随同主力部队从宣化店出发,突破敌军封锁,跨越平汉铁路,插入桐柏、秦岭山中,后同王震三五九旅于 8 月 2 日进入镇安县城。由于敌情严重,战斗频繁,我军撤至本县杨泗乡时,干部旅不得不遣散,化装前进。当时,森曾太郎因双脚伤势严重，被留在该乡农民胡启成家中养伤。他严格执行我军“三大纪律，八项注意”,在离开胡家时,不顾主人一再谢绝,硬将口中一颗金牙拔下给胡启成付了饭资。

同年 9 月 10 日,森曾太郎在国民党“清乡剿共”中被逮捕。在关押期间,他整天闷闷不乐,敌人讯问时,他装着不懂中国话沉默无言,誓死不降。国民党镇安县政府为了请功,决定将他送交国民党陕西省政府。森曾太郎为不使自己成为国民党军事当局的政治资本,10月14日晚,乘狱警睡熟之机,饮弹自杀。

他的遗体被安葬在镇安县城观音庵后侧。

西北摄影队在榆林

霍世春

1942年2月,著名电影导演应云卫带领中国电影制片厂西北摄影队来到榆林进行《塞上风云》影片的摄制和抗日宣传活动。他们住在职业学校梅花楼院内。除每天排练《塞上风云》剧目外,还走上街头,深入榆林中学、榆林女子师范学校等处广泛进行抗日宣传活动,并在这些学校挑选了二十多名学生进行培训,扮演《塞上风云》影剧中的群众角色。摄影队还利用驻军四百余名骑兵在城北头道河则等地拍摄了剧中铁骑纵横的场面。3月上旬,西北摄影队离开榆林到内蒙扎旗一带继续拍摄《塞上风云》和进行抗日宣传活动。他们在内蒙活动近半年后,于8月上旬,又途经东胜、孟家湾返回榆林城。

8月14日晚七时,榆林各界近千人与西北摄影队在榆林女子师范学校礼堂举行了联欢晚

会。会上晋陕绥边区总司令邓宝珊致欢迎词，他说："西北摄影队的艺人们为了抗战胜利，民族解放，抛弃了上海等大都市优裕的生活条件，远来边塞荒漠千辛万苦作艺术拓荒工作和抗日宣传活动。回到榆林，黎莉莉、舒绣文诸女士衣服破烂，都打了几寸长的补丁。各位同志风尘仆仆，但精神振奋。这足以证明他们为抗战宣传而努力，为艺术深入漠北而献身的牺牲精神。"西北摄影队长应云卫致了答谢词，榆林各界及中小学校师生组成的业余歌咏队，演唱了《大刀进行曲》、《我们在太行山上》等六首抗日歌曲和一些地方民歌，西北摄影队演出了《中国万岁》话剧，著名电影演员黎莉莉、吴茵、舒绣文、陈天国、金淼、周伯韬、盛加等参加了演出，从 14 日至 16 日共演出三场。演出很成功，轰动了当时的榆林城，一时城内人们广为传颂。

西北摄影队在榆期间，还在中营巷八十六师司令部小操场放映了《冯玉祥抗日演讲》等无声纪录片，开创了榆林电影放映史。他们还游览了红石峡等名胜古迹，不久，离开榆林去西安。

汉中的木炭汽车

沈堂印

“七七”事变后，大后方的汽油供应十分紧缺，交通运输处于非常困难的境地。汉中西北公路局的职工，于 1938 年 10 月，把中央“二六”式标准煤气炉改成烧木炭的木炭炉。第一辆木炭汽车，满载货物，先后在西兰公路、宝汉宁公路及川陕公路远途运输试车成功。翌年，褒城汽车修理厂和西安汽车修理厂合作，完成改装木炭汽车二十二辆。后又与兰州汽车修理厂协作，改装成功一百辆。

木炭汽车改制成后，行驶于西兰公路，川陕公路和汉白公路，不但解决了大后方旅客的交通困难，更重要的是把军需物资运到了抗日前线。这种汽车时速不高，行驶中，司机要不时地停车添木炭，且常常抛锚。作家老舍曾以《抛锚以后》为题，写了一首打油诗：“一去二三里，抛锚四五回，下车六七次，八九十人推。”一家刊物还发表了漫画，画上题辞：“老兄！你是坐汽车来汉中的吗？”“不！我是推汽车来汉中的！”说的就是木炭汽车。

1941 年初，交通部为提高木炭汽车的改装技术，派技正柳敏，副工程师向恭柱担任西北公路局褒城木炭汽车厂副厂长。经多方比较,该厂决定用苏联吉斯5(外号羊毛车)来改装。该车汽缸直径大,只需要换一只燃烧室较小的汽缸盖,马力就会加大,功率变高,加大压缩比率,尤其适用于高原地区和寒冷地区的行驶。不久,向恭柱工程师又成功地利用美国五十三加仑的加料汽油桶,改装成“向式木炭煤气炉”。这种汽炉容炭量大,减少了行驶途中加炭的次数,也加大了爬坡力量,使木炭汽车日臻完善。

木炭汽车所用的木炭,以陕南西乡县沙河坝所产质量最优,无烟,灰白。为了就地取材,交通部门以八十八辆最新式的木炭汽车投入宝汉宁及川陕、汉白等公路线上。当时,还开展了“普及木炭汽车运动”,奖励司机开木炭汽车,以此支援抗日。汉中分处最先开木炭汽车的老司机有:安纪文、雍民九、胡幼民、尹振玉、孙维干、王鸿恩、和平中等。后来,孙维干老师傅开的6327号“向式木炭汽车”转交给我开了三年。开木炭汽车比开汽油车要辛苦得多,司机和司助在出车前,要一秤一秤的领木炭,一筐一筐的装上车。中途要多次给炉里添加木炭。到了终点,顾不得吃饭和休息,要立即清理炉灰、养护车辆。但是,开木炭汽车的师傅,没一个人说过抱怨的话。他们心里亮堂,为支援抗战出一分力,虽说苦在身上,却甜在心里。

曹印侯力挫清军

张肯堂

曹印侯是陕西临潼油槐乡人，性格豪迈，魄力过人，胸怀磊落。他早年随郭希仁参加辛亥革命活动。1911年“川鄂抗路”事起，印侯闻讯，遂入西安邀约同志组织革命军。他与刘蔼如密赴渭北招兵，及闻西安光复消息，立即集合乡勇趁夜急渡渭河，赶走清县令培成，光复了临潼县城。

此时，清军仍从东西两路夹击，陕西革命非常危急。东路清军已攻陷潼关。陕西革命军——“秦陇复汉军”副统领钱定三领军东援，经过临潼时,令印侯留守临潼。钱定三到渭南后不幸遇害,张钫接任其职,印侯为其筹饷三千石,从渭河顺流而下。接着又入西安,请求召渭北壮士西攻甘、宁。适逢潼关二次失守,张钫紧急求援,印侯即在临、渭一带招募士兵。十余日,即达六千余人,号曰"敢死队",由印侯担任统领。当时军旅草创,军饷、枪械均缺。他设法筹集军费万余元,制造刀矛数千,并特制"铡刃钉镢把"的武器,编就二十一营。当时民谣有:"曹印侯,是冷娃,掮的铡刃钉镢把。"由于缺饷,军中自长官至士兵皆粗食,不发一文饷金,而士气高昂。编就尚未出发,得知潼关收复而西路清甘军攻乾县、凤翔甚急。尤其凤翔守军单薄,形势更紧。印侯奉调驰援,二日夜即赶至凤翔。他所部军队所用武器均为刀、矛、铡刃及部分杂色土枪,远比其他部队为差。但印侯鼓励战士,临阵个个用命,勇往直前,往往徒手争先上前,夺取敌人枪械而战,使敌人丧胆。

曹印侯率未经训练之兵,手持白刃,冲驰于快枪怒马之间而无一人退却,使凤翔转危为安,阻止清军东窜,其才识胆略及意志,诚为一般人所不及。死后于右任曾为其照片题诗曰:"跃马横戈西复东, 手持白刃定关中。西湖遁去呕心死,落日河山起大风。"

范紫东痛陈迁都之非

袁富民

清光绪三十三年(1907),升允总督陕甘。有人向清廷建议:“北京距海太近,急宜迁都。”升允便于官课时命题:“我国自金、元、明以来,建都燕京,已数百载。近有谓京城近海,主张迁都之说。究竟燕京建都有何利弊,应否迁徙?诸生稽古有年而不乏真知灼见,其各陈谠论,毋稍隐讳,以定国策。”

当时正在陕西省立三原宏道高等学堂就读的范紫东应试。他援古论今,以洋洋千余言痛陈迁都之非,结语说:“汉唐以前,我国之外患在西北,故京师在长安,即雄踞西北也。元明以后,我国之外患在东北,故京师在北平,亦扈东北也。都城一迁,则夺我之气,示人以弱,恐我退一步,人将进一步矣。呜呼!周不捐弃丰镐,则犬戎何能深入内地?宋若死守汴梁,则女真何至长趋中原?世或有献迁都之议者,吾恐后之视今,亦犹今之视昔也。”

主考在范紫东的卷子上批道:“洞悉时势,深明大局,非关心国事者,何能道出只字!”取列超等第一名,并将文中精髓的话,具折上奏朝廷,以平迁都之议。

讨袁之役的前敌指挥张肇基

李 星

1911 年 10 月 10 日武昌起义，陕西是最早响应的省份之一，同月 22 日宣布起义。陕西籍人士有一批最早参加辛亥革命，并为之抛洒热血。汉中人张肇基就是其中之一位。当年邵力子先生任陕西省主席，在谈论续修陕西省通志稿时，就专意评价了张肇基的功绩。

张肇基先生，字乐城，南郑(今汉中市)人，同盟会会员，为于右任之挚友。辛亥革命武昌起义，肇基在山东烟台响应，任民军副都督。1913 年讨袁之役，肇基任黄兴麾下前敌指挥。袁世凯下令通缉，肇基乃亡命日本，为孙中山先生所倚重。1914 年袁氏欲称帝，孙中山先生任肇基为陕西讨袁军师长。1915 年肇基到汉中运动讨袁，被叛徒告密，吕调元令张钫将肇基枪决于南郑北教场(今汉中市体育场)。张钫字伯英，前乃肇基之友。肇基从容就义，且呼云："袁氏欲帝制自为，人人皆欲诛之。余死固不足惜，然天下讨袁者众，国贼授首之期，亦不远矣!"观者莫不慨然。

1931 年冬于右任先生由杨虎城将军陪同视察汉中时，专程到张肇基家中看望烈属，痛惜肇基英年折亡。

贺龙办“民众戒烟所”

李大树

1936年12月20日贺龙将军率红二方面军进驻富平县境，军纪严明，秋毫无犯，并为群众办了很多好事，受到广大人民的爱戴。红军在庄里镇、薛镇、到贤镇都办有戒烟所，每期七天，通过吃药、打针、规劝教育等方法，使当地烟民戒掉鸦片烟瘾，恢复健康。贺龙将军亲自到戒烟所督察指导，教育鼓励烟民改掉吸烟恶习，振奋精神，重新作人。许多烟民戒掉烟瘾后，精神面貌焕然一新。他们和他们的亲友都夸奖红军好。有些年轻的烟民戒烟后也参军打日本去了。

梨子滋味的故事

张文辉

毛泽东主席在《实践论》中讲到关于认识发展的理论时，形象地说：“你要有知识，你就得参加变革现实的实践。你要知道梨子的滋味，你就得变革梨子，亲口吃一吃。”

梨子，是我国北方盛产的水果。梨子种类也很多，陕北的梨子是怎样的滋味，对于大多数南方人来说恐怕是陌生的，对于刚刚长征到达陕北的中央红军来说也是陌生的。1935 年 11 月，毛泽东和中央红军来到甘泉县以南地区进行休整，并研究部署直罗镇战役，毛泽东就住在史家湾靠山根的一孔带套间的窑洞里。当地老乡知道这里住的是中央红军的首长，便带梨子、红枣来慰问红军。毛泽东的套窑里放着一张旧桌子，群众将梨子和红枣堆满了桌面。陕北赤卫队员郭正明负责给毛泽东劈柴烧炕。他回忆当时情景时说，有一天下午，周恩来副主席、彭德怀司令员，还有王稼祥、徐海东、程子华等来看望毛泽东。“你们来了，好哇！你们来看我，没有什么好招待的，来、来、来，这里有老乡给我们送的梨子，每人吃一只。”大家不知梨子是啥滋味，是甜的？还是酸的？迟迟没有人动手。有的就问起梨子是啥味道，毛泽东这时才说："我给你们说梨子是啥味道，你们会相信吗？你要知道梨子的滋味，你就得亲口尝尝，亲口吃一吃，不是就知道了吗?"这时大家都拿起梨子吃了起来，边吃边赞不绝口："味道不错，好吃，好吃！"

张学良为原"东大"礼堂基石题词

王昭洲

现西北大学的大礼堂，是原东北大学从北平迁校至西安后所建的。

东北大学成立于1923年，校址原在沈阳。自1928年起，东北大学由张学良将军担任校长。"九一八"事变后，东北大学自沈阳流亡到北平。1936年，该校的理学院迁到西安。日本侵略军逼近潼关，又从西安迁往四川三台。它在西安的时间前后不到两年。那时张学良将军正在任职，他用旧时东三省官银号的结余款十五万元，修建东大校舍。在建筑大礼堂时，他有感于国破家亡、师生离散的惨痛处境，挥笔在大礼堂基石上题词："沈阳设校，经始维艰；至"九一八"，惨遭摧残；流离燕市，转徙长安，勖尔多士，复我河

山!”其雪耻报国之心和民族浩然之气,诚乃精诚昭日,可歌可泣。

张学良将军所建的这座大礼堂,仍在继续发挥着培育祖国建设人才的作用。张学良将军若知道这个大礼堂尚完整存在,当会感到极大的安慰。

于右任求贤

王复忱

清末年间,书法家王世镗从天津来到汉中,隐居在城内莲花池附近。王氏于书法造诣高深,曾赋诗云:“文人何事忌相能,一字千金悬国门;义到春秋无泛涉,书临汉魏得奇蕴。”又综合章今两草,集韵语而成《稿诀》和《千字文》两书谱。这样,他的书名,就不胫而走了。但是,书谱一到古董商手里,他们便扬其书而掩其人。这样,王先生便沉埋汉中,老于牖下,只能为居奇商人激赏,不能为书法家所悉知了。

当年,南京瞻园路有文物商店叫集古斋,经理是颇负盛名的张熙园。国民党政府定都南京后,集古斋是于右任先生常到的地方。一天,于偶然发现王世镗所印二爨集联,即赞不绝口,急忙问熙园,此人仅此一种书谱呢,还是另有其他书谱?熙园当即检出《王世镗稿诀集字》和《章草千字文》各一本。于老精阅细览，不仅爱不释手，而且拍案叫绝。熙园故意问他绝在哪里？于老说："我用十六字可以概括此人书法。"当即口占二句云："古之章草今之索靖，三百年来世无与并。"遂对熙园说，此人我欲师礼事之，是否可礼聘到南京？熙园早有重临洛阳龙门、西安碑林、汉中褒谷去收集一批北碑拓片，回南京兜售的打算。既然髯翁有礼聘之意图，就趁机玉成此事。于老喜出望外。这样，就把王世镗请来南京。

当时，于老正通过"说文社"(研讨书法理论的组织) 来倡导他数十年心血结晶的"标准草书"；王先生一到，可以说如鱼得水，他们切磋琢磨的效益，局外是难以想像的。于老并为此推荐王先生担任监察院简任三级秘书职务。

但好景不常，王氏在职一年，就身染重病并逐日加深。于老每天公余，都亲自探视，执手问讯。王氏终因医疗无效谢世。于老亲为王治丧，安葬于南京牛头山娃娃桥畔，并立石碑，上写"大书法家王世镗先生之墓"，下写"于右任敬书"。

一碗花面结金兰

李逢春

梁伯，字寿珊，民国时宝鸡虢镇的巨富，通

四书五经，善辞令，琴棋书画尤佳。民国十四年(1925)夏，杨虎城的部队驻防虢镇，杨住在梁的家中。他敬重梁伯学问渊博，人品高尚，关心国事民瘼。每于军务闲暇，就和梁促膝畅谈，并诚恳地向梁求教，听梁讲《孙子兵法》。梁伯素知杨将军为人端方刚直，身在行伍，心系国家民族，便实告以地方情况，献治军安民之策，杨采纳他的意见，整饬军律，严明法纪，为时不久，虢镇地方便街市井然，一派和乐气象。两人交情也与日俱增。

一天，两人又畅谈到午饭时节。梁夫人端来两碗用高粱面和麦面合擀的一层红、一层白的花面。这种花面，做时必须先把高粱面打成搅团，晾凉，揉到，擀开，再与擀开的麦面叠在一起，揉好、擀薄。中间经的手工多，所以吃起来特别的柔、粳、光；而且柔中有粳，软中带硬，别有风味。杨将军吃着甚觉新鲜、别致、有味。此后，便常向梁夫人要花面吃。一次，梁夫人又端来两碗花面。杨将军面对花面，想着与梁伯的交情，一时逸兴横生，笑着说："寿翁，咱们志同道合，虽非患难之交，却情同手足。就此结为兄弟，这就叫……。他刚要说"一碗花面结金兰"，不料，梁伯笑着抢先说："这就叫一碗花面结金兰。"以后杨虎城当了陕西省政府主席，还三次专程来虢镇看望梁伯。虢镇各界闻讯准备隆重迎接，杨均以勿扰民众为由而谢绝，独自来往食宿于梁伯家中。

赵寿山的特制筷子

李大树

1929年12月间，爱国将领赵寿山(1894—1965)任十七路军十七师五十一旅旅长，兼任陕西汉中绥靖区司令时，我系其所属一〇二团二营书记官。“九一八”事变后，赵在汉中举办干部训练班，培养抗日救国骨干，并赠送所属部队官兵一双特制筷子，上面烙印有赵亲笔题写的“每饭莫忘国难，举箸须念民艰”两句格言，浅显而恳切地对官兵进行救国爱民的教育，这对提高全旅官兵抗战救国思想，起到了积极的促进作用。

赵寿山抢修五门堰

刘　乐

1934年6月上旬，湑水河上游突降百年不遇的暴雨，顷刻摧崩五门堰堤数十丈，堰头东边两个洞全部塌陷，输水受阻。当时灌区三万多亩农田(占全县水田八成)里，稻正扬花。形势严峻，修堰送水十万火急。这时，驻城固的国民党五十一旅旅长兼汉中警备司令赵寿山立即派出一营官兵,前往五门堰抢修塌毁堰堤。全营官兵在营长李维民的带领下和民伕们一道,夜以继日,挑沙送石,不辞劳苦,历时十天,终于堰成水通。当年秋粮丰登,灌区群众非常感激赵寿山司令爱民之举,于当年中秋节在五门堰立碑一通,刊颂此事,以昭后世。如今此碑,仍在五门堰内保存。

张季鸾回故里

霍世春

1934年8月,一代报人张季鸾为祭奠其父张楚林诞辰百周年,特回故里榆林。陕北军阀八十六师师长井岳秀带领卫士前往离城二十里地的三岔湾,亲自给张季鸾牵马拽镫,迎接进城。在榆林城内戴兴寺,张季鸾为其父举行祭奠仪式。蒋介石、胡适、于右任、章太炎等赠了挽词。张父坟上还建了墓碑。

张季鸾在榆林期间,榆林各校纷请演讲,他对师生所提质疑均予以答复,无不中肯,听者咸为惊服。同时他感到榆林贫寒子弟求学困难,倡议地方人士筹募奖学金数千,他本人出洋五百元为倡。当张准备离榆林时,井岳秀送来路费三百元,结果被张谢绝。

张季鸾回到天津后,写了《归乡记》,在这年

12月25日《大公报》上发表，揭露了井岳秀独揽军、政、财大权，搜刮民财，贪污腐化，种植鸦片等罪恶行为。

于右任席间谈发菜

辛介夫

发菜，一名头发菜，因色黑、丝细，状似人的头发而得名。发菜是在陕、甘、宁地区流水中生长的一种藻类。酿发菜味道鲜美，是远近闻名的一味佳肴。因为发菜与发财二字声音相近，所以商界人士，尤为欢迎，曾经流行于宁、沪、苏、杭等地。每有宴会，必上发菜。主人开席敬酒，让菜，常将“请发菜！请发菜！”故意说成“请发财！请发财！”作为对客人的祝福，客人同声应和“请发财！请发财！”作为对主人的回敬。

1944年，国民政府监察院院长于右任回陕西三原探家时，曾假座民治小学办公室，以董事长名义宴请民治中小学教师。开席敬酒后，于氏模仿商界惯例举箸让菜说：“请发菜！请发菜！”遂即面带微笑，语重心长地说：“咱们西北名菜过去很多，煨鱿鱼，干煸鳝鱼，扒海参，海儿巴等等曾经风行于大江南北。由于世道的变迁，这些名菜，在南方都早已远庖厨了，只剩下发菜这一味……”大有欲语还休、不胜感慨之情。

邓宝珊在榆林“桃林山庄”

张　泊

抗战初期，邓宝珊将军初抵榆林时，大家都看他不像个军团长。他头戴礼帽，身着长袍，温文儒雅，和那位参加过同盟会、伊犁起义、讨袁、响应北伐的戎马将军怎么也联系不起来。一举一止，倒像是一派文士的风度。

榆林是西北重镇。驻防榆林，这副担子并不轻松。当时太原、绥远相继沦陷，日军压境，虎视眈眈，时有飞机轰炸。大批溃军退到这里，又有四乡地方财绅入城避难，加上城内世居的富豪、帮会、军痞及三教九流各色人等，纷纷扰扰。邓到了榆林，为求清静，便在城东南郊金刚寺西侧修一公寓，无事时多居此处。

说是公寓，其实不过是几眼普通的窑洞而已。周围手植桃树百余棵，春日里灼灼开放，点缀于黄土沟坡，故取名“桃林山庄”。他的爱女、共产党员邓友梅从延安回来养病，也住在这里。

住在“桃林山庄”的邓宝珊并不清闲安卧。他在黄河一线布防，遂使日寇不能西渡，陕北、伊盟免受铁蹄践踏。这时，人们才看出了他的大将本色。

他生活朴素，深居简出，不善也不喜应酬，与人相处，惟一片坦诚。生平喜文墨，善书画，偶尔也作诗词以自慰。1942年初，送大女儿惠霖出门求学时，曾作《玉蝴蝶》词相赠：

秋风初到边关，新凉扑人面。把酒唱骊歌，目送南归雁。　　志切复国仇，勒马趋前线。挥戈捣黄龙，莫负男儿愿。

音节铿锵，字里行间都溢出一股浩然之气。

1985年，笔者在榆林见到一匾额，青石质地，上镌“桃林山庄”四个大字，下题“右任”二字。笔法苍劲有力，不胜喜爱，遂手拓墨本数张，存于箧中。

郭希仁与关中水利

张肯堂

提起关中水利之兴，人们莫不赞颂李仪祉所做的杰出贡献。但在李仪祉成功的后面，还有一位热心关中水利事业的志士先贤，同样功不可没，受人怀念。他就是郭希仁。

郭希仁，陕西临潼人，辛亥革命时，在陕西参加革命活动，并起过重要作用，受到人们的赞誉。1913年，郭希仁救国心切，西游欧洲，历经俄、德、法、英、意、比、瑞、荷诸国，悉心考察政治、经济、教育、农林、水利等。他深感陕西连年

旱灾，兴修水利，实为强国富民的根本大计，因此，他对水利考察特别重视。在法、荷诸国睹其水利之修明，深有感触，适逢泾阳李仪祉到德国学铁路工程，因劝仪祉曰：“与其学他艺，不如学水利。吾乡之郑白渠废弛已久矣，何不于吾辈手中恢复之。”于是，仪祉改学水利。后希仁回国，还和仪祉不断通信，谆谆告诫仪祉勿忘水利。他自己著有《水利谭》一书，申述兴修水利的理论与主张。

1917年，郭希仁任陕西省水利局局长时，即调查泾河谷口，疏浚修理草滩、申店澇河渠以及莫陵庙灞河堤等水利工程，并为水利立法、设计、奖励，不遗余力。可惜遭逢世变，兵火不息，人民穷困，财力不济，未能有大作为。直到1920年，仪祉学成归国，在南京供职，希仁乃荐举仪祉接任他的职务。李仪祉1934年在《泾惠渠首功郭希仁》一文中写道：“希仁任陕西水利局长，尝曰：‘余守此以待能者也。’派人施测泾河钓儿嘴，寄金陵嘱设计。其图虽简略而实为引泾首次之测量。民国十一年(1922)召余归，胡笠僧亦遣李仲山来金陵敦促，余即应之。至陕，希仁肺病已深，不能言，以笔书曰：‘余以支离之身，勉守此位以相待也，勉成大业，余无恨矣！’未及一月而逝。余感而恸，汲泾干之泉以祭之。今泾惠渠成矣，得告慰于先贤，固多方协助之力也，余不敢忘希仁。”由此可见关中水利之兴，郭希仁是有一定功绩的。

朱庆澜为饭摊题字

朱国英

1934年，国民党南京政府赈务委员会委员长许世英(字静仁)调驻日本大使，赈务委员会副委员长朱庆澜为其饯行。他俩都是佛教徒，素食，平时在上海素餐馆吃惯了，这次朱庆澜建议去个新鲜地方。于是乘车来到一个搭白布篷的饭摊，在简陋的木条桌旁就座。时值夏季，都穿着夏布或绸长衫。饭摊一仆一主，这样的饭摊，在当时是劳苦大众如人力车夫、搬运工人吃饭的地方。这回来了几个穿长衫的显贵顾客，店主非常惊奇，端上饭菜，每人一碗米饭，一碗菜，菜是用豆芽、粉条、青菜烩成的。许、朱二人吃得津津有味，边吃边谈。吃完饭他们还坐着不走，当学徒催促付钱时，朱庆澜才开口说："叫你掌柜的来见见面。"掌柜走了出来，很客气地说："没有吃好，有何吩咐?"朱庆澜说："你们这饭摊叫什么字号?"掌柜笑道："布篷搭的饭摊都是下苦人来吃饭，有什么字号。"朱庆澜说："我来起个名字，你有毛笔和纸吗?"时附近有家商店，掌柜见如此情况，将饭摊掌柜叫到一边说："我有笔有纸，这是好事，你拿去叫他们写。"饭摊掌柜将笔和纸拿来放在饭桌上，朱庆澜立即挥毫疾书

"民生简便食堂"六个大字,下边落款:许世英、朱庆澜。写毕,朱庆澜对掌柜说:"饭菜像这样就可以,不过要清洁卫生,劳苦大众吃坏了肚子影响劳动,须知一家全靠他们来养活啊。"掌柜点头称是。客人说完付钱走了,掌柜目送他们上车而去。

朱庆澜写牌匾一事,轰动了当时上海新闻界,许多记者来民生简便食堂专访,还在《新闻报》上报道。慕名而来的各方人士都来这家饭店用餐,生意愈做愈兴隆。

马师儒晋谒毛泽东

王德润　黎顺清

陕西教育家马师儒先生,1942年任西北大学文学院院长期间,因葬父返陕北米脂原籍,途经延安时晋谒毛主席。主席宴请他,特邀历史学家、马的老同事范文澜作陪。主席给他详细讲共产党的发展和抗日民族统一战线的道理,说明当时是抗战时期,陕甘宁边区被封锁、被威胁、被攻击的紧张形势有加无已。马先生立即回答说:主席讲的这些事实,我是亲见亲历过的,我从心底敬佩共产党领导的抗日战争。后来他在《感怀奇遇》诗中写道:"平生奇遇只一人,体大思精迈古今;展开历史四千载,革命功勋莫与京。”他在考察革命圣地的工厂、学校、机关之后，应抗日军政大学之邀作公开演说。马先生讲中国共产党领导的政治经济、文化教育和抗日战争，认为前途是乐观的，并颂扬“延安是奔向社会主义的站台”。

马先生的延安之行深深触怒了国民党反动当局，南京教育部来电申斥：“身为文学院长，在陕北讲演，公开赞扬异党政治，应予警告！”西大校长赖琏执行上司指示，免去马师儒先生的文学院长职务，并下令通缉，阴谋下毒手。在此艰危时刻，先生以大无畏精神恭录文天祥《正气歌》，决心为正义牺牲。北京师范大学校史记载其事：“马师儒教授老家是陕北米脂，有一年他回家奔丧，毛主席宴请了他。席间毛主席嘱咐马师儒回到陕南(抗日战争期间西北大学迁往陕南城固)后，代他问候黎锦熙先生。马师儒回到陕南，在西北大学一次总理纪念周集会上宣布了这件事。嗣后马师儒被教育部解聘了。”

张凤翙二三事

王增尧

1909年，先父王敬三经井勿幕介绍加入同盟会，与由日本士官学校毕业回陕任新军管带的张凤翙、哥老会首领张云山以及马玉贵、吴世昌等人,密谋起义,聚议于西安西关的一家裁缝铺。旋组织同志成立秦陇复汉军。在张凤翙领导下,先父任监印官。清陕甘总督升允率兵攻打乾州,先父与张云山坚守,敌攻城甚烈,终未得逞。

清廷推翻,民国建立,孙中山先生任临时大总统,张凤翙任陕西都督,先父任督军公署庶务长、客军粮台总办等职,张公倚弼甚重。

民国三年(1914),袁世凯窃国,派其爪牙军法总长陆建章来陕,取代张将军。此时袁将各省辛亥革命后任督军的,如蔡锷等,悉调北京。张公当亦不例外。民国四年初,张与先父去京,过潼关时,张公慨然吟诗一首:"屠门大觉梦一场,醒来尤未熟黄粱,三年威信一朝失,自愧不如陆建章。"及抵京见袁。袁问:"身带几人?"张答:"三二人耳。"袁曰:"可谓壮哉!"即与蔡锷等人被封为威武、扬武等名称的将军衔,幽之客邸,亦即所谓将军府,乃囚禁耳。此后,张赋闲二十余载于平津。膝前无子,仅一女。

"七七"事变之翌年,张突然返陕,先父见之于其住所西安张府巷,相谈甚欢。先父问张公何不带家眷一起回来。张说:"我是秘密回来的,迟则被日寇截住,不堪设想矣。"此后张公即未他去。解放后,任陕西省副省长,得寿考以终。

茅盾随朱德谒黄陵

沈　楚

1940年5月20日,茅盾到西安七贤庄八路军办事处联系去延安事宜,在办事处意外地见到了朱德总司令和周恩来副主席。朱老总是从山西前线归来,不久要回延安去,很爽快地答应茅盾一家搭他的车队前往延安。

5月24日上午,朱老总的车队三辆卡车共四五十人开出西安城。次日午后来到沮水萦绕、群山环抱的桥山脚下。大家随朱老总拾级而上,来到黄帝陵前,入口处有卫兵守卫,见大群人员拥来,连忙拦阻说,此乃国防重地,奉上司命令,不准参观。经交涉，管理处负责人得知是十八集团军朱总司令前来谒陵，也就特别热情，亲自陪同大家登上陵墓，还对古迹一一作了介绍。

陵墓周围的山坡上有密密层层的古柏，其形状古拙，有独特风姿。时值初夏，站在古柏下顿有凉爽之感。朱老总一行在陵前留了影后，老总又点名要茅盾讲讲黄帝的故事。茅盾就把这位传说中的中华民族祖先的文治武功讲了一番。接着，朱老总向大家讲话，他说："中华民族有五千年的光辉历史，然而近百年我们这些黄帝的后裔却遭受帝国主义的百般欺凌，被称作'东亚病夫'。现在，这个古老的民族觉醒了，我们这些黄帝的子孙正点燃民族解放的烽火，全国人民正在进行抗击日本侵略者的战争，这也是中华民族复兴的战争。我们一定要把这场神圣的战争进行到底！我们一定能取得最后胜利！现在有人想阻挠抗日战争的进行，想妥协投降，这种人是黄帝的不肖子孙，要警惕！"

总司令的一席话虽不长，却极富鼓动性，在同志们的心里，激起了千层波浪。

胡志明参观杜公祠

祝生明

杜公祠是为纪念唐代伟大爱国诗人杜甫而

建的。它位于陕西长安县少陵塬畔唐代八大寺院之一的牛头寺以东。明嘉靖五年创建于牛头寺之西，清嘉庆九年重建于此。年久失修，破烂不堪。解放后，几经修葺，认真保护，于1960年成立了杜甫纪念馆。这里依塬面水，环境幽雅。远望终南，重峦叠嶂；俯视樊川，风景旖旎。是陕西省著名人文景点之一。

杜公祠创建以后，历代文人学士，中外游客慕名来到杜公祠瞻仰、参观者络绎不绝。1959年6月下旬，越南民主共和国主席胡志明访问苏联归来，路过西安，到杜公祠参观，我以兴奋的心情参与接待工作。这天是一个艳阳高照的好天气，胡主席在省委领导同志的陪同下来到杜公祠。他身穿白绸中式便服，容光焕发，精神矍铄，虽已高龄，健步登高不用搀扶。杜公祠院内参天的古柏，盘曲的国槐，奇丽的花木，幽雅的庭院，他见了以后感到十分高兴。

他重点参观了享殿和陈列室。看了杜甫的塑像和殿内所挂的《唐书·杜甫传》、杜甫在长安行迹图。又看了有关纪念杜甫的石碑。在陈列室，他详细地观看了多种杜甫诗作版本、杜甫墨迹、杜甫的代表作“三吏”、“三别”等。他对杜甫的生平及诗作知之甚多，且用中国话交谈，盛赞杜甫是伟大的诗人，杜公祠是纪念杜甫的好地方。谈话非常亲切，充分表现了中越两国人民诚挚的友谊。

张学良在青龙岭

翟　曜

青龙岭，在长安王曲镇南滈水河畔，浓荫盖地，郁郁葱葱，逶迤起伏，似游龙蟠踞，气势十分壮伟。

青龙岭是远古先民群居的遗址，是周武王与殷纣王交兵的战场，坡崖土层中留有青铜戈矛、箭镞、马饰。岭下曾有蒙溪宫、闻太师洞、姜子牙亭等。子牙亭上的高崖畔，有一棵九龙柏，盘根错节，虬枝遒壮，横空盘旋，如九条飞龙在浓云密雾中翻腾，昂首翘尾，张牙舞爪，各呈奇态。这大约就是青龙岭名字的由来吧。

西安事变前，东北军入陕，张学良将军就住在这里。岭上修了一座小别墅，回字形，砖柱土墙，青瓦盖顶。南为阳台，中为客厅，东西各为套间，北进一月亮门又套小院，既简朴，又幽雅。屋前有花坛、水池、卵石小径，周围广植奇花异卉，桃李杏果。南行百余步，则是一座花木园林，大约八亩，种满梧桐、樱桃，间以紫荆、幽兰、翠柏、青杨。四周无墙，密植榛树以为篱。张将军公余闲暇，就在这里打球漫步，迎朝阳，送晚霞。他常常独立岭头，遥望终南山的紫岚翠雾，神情忧郁。有时，将军在田间河岸散步，与村人笑谈。一次他到岭下城隍庙游览，看到“十八层地狱”，“阎罗宝殿”的狰狞鬼怪塑像，便问“城隍是干什么的?”道士说：“城隍是主管生死的神。”将军听罢，微微点头说：“唔，权势这么大呀，那可要特别尊敬他了。”说着，摸了摸神像身上的灰尘，笑道：“这就对神太不敬了么，快，派人把神像抬到王曲河里去洗干净。”随从的人也都笑了。

东北军初来王曲，没有房住，张学良的卫兵营就住在岭下树边的帐篷里。后来，他们就在青龙岭下挖窑洞居住。

1936年，东北军在长安县王曲镇青龙岭下的城隍庙成立了军官训练团。张将军在青龙岭接见许多誓死抗日的热血青年，鼓励他们同仇敌忾，与民族共存亡。青年们从青龙岭上汲取了巨大的力量。

护送郑位三

张鸿济　刘运卿

1946年金秋的一天，地下党员张一平接到中共陕西关中地委赵伯平、汪锋的指示：有几位负责同志要回陕北，路经灞桥，要求负责护送。时隔不久，一位自称“风水先生”的人，手托罗盘，来到灞桥草滩张一平家中。

当时，张一平在临潼中学教书。其弟专程去

临潼告诉他“家里来人了”。张一平闻讯,立即赶回家中。交通员李队章介绍,这位风水先生姓魏,就是要求护送的负责同志。魏同志仔细地观察了张一平家的周围环境,果断地说:“你这个家住下很不安全,我一出事,你全家就完了。最好能住在当地开明的大地主家中,比较安全。”于是,张一平和桥梓口党支部地下党员陈平,把他护送到黄桑圃村华心诚家。

华心诚家房多人少,是当地有名的富户。华家祖籍湖南,华心诚的父亲民国初年曾留学日本,人称“华老爷”,在群众中颇有声望。这样,掩护的任务就落在了地下党员华心诚的肩上。华家把魏同志安排在二进房的上房,院深幽静,一般很少来人,不仅有利于掩护,且有利于养病。如果有人要去上房,先要进门房,过厅房,最后才能到上房。万一发生意外情况,前面房子安排了人应付。并且商定:对外就说这位风水先生是从湖南老家到陕西探亲的,姓“华”,是自家人。这位负责同志的夫人和儿子,也安排在康家堡陈平家掩护起来。

这位魏同志在华家,深居简出。有时家里无人,便走出院子,详细察看他的住房和周围环境。看到他的住房一排半截窗子,用手试推,可以打开,还可以通向院内自由出入,他感到惬意。掩护期间,先生的胃病不时发作。华心诚就在本村请了一位叫邵乾勋的中医大夫为他调治。时间不长,他就恢复了健康,他与大夫也成了朋友。

一天,陈平急匆匆来到华家,兴奋地说:“上级已派人来接先生回延安,明天就起程。”并吩咐华心诚设法开个路条,保证路上安全。华心诚通过堂兄华心田(伪保长)搞到了路条。

临行前,魏同志告诉陈平:“我就是郑位三,现任中原局代理书记,中原军区政委。”随行的是爱人蒲云,儿子飞驰。原来,郑位三和李先念等领导同志,是于1946年6月底,突破国民党几十万大军的包围,辗转商洛,途经长安去延安的。

郑位三离开灞桥黄桑圃时,陈平从孔从周家借来一辆崭新的车轿,华心诚牵来一匹马和一头骡子,由堂兄华心武执鞭赶车,他俩尾随车后,直送出村。村外有两位身着便衣的青年,远远跟着车轿,还不时观察周围动向,在暗中护送。这两个青年,一个是桥梓口党支部书记苏振和,另一个是张弓。

延安文化沟

王汶石

延安北门外,延河西岸有一道山沟,原名大砭沟。1938年日本空军对延安大轰炸后,延安各机关团体全部疏散到四面山沟,延安旧城被夷

为一片废墟。驻进大砭沟的是青联系统一些单位和其他一些文化团体，渐渐地人们便把这道沟称之为“文化沟”。

文化沟从沟口向内，依次有杂技团、青年剧院、文化俱乐部、西北文艺工作团、民族学院；后沟有民众剧团和八路军大礼堂。文化俱乐部是延安文化人聚会的地方，俱乐部主任、老革命家、著名诗人萧三和他的外籍夫人以及他们的儿子，就住在文化俱乐部山坡上西北文工团和青年剧院之间的一孔窑洞中。

沟道南侧有青年俱乐部、中山图书馆和世界语者协会等单位。青年俱乐部和中山图书馆都是坐落在山脚的石砌建筑，内部宽敞明亮，每逢周末，俱乐部常有舞会和游艺节目，是青年人喜爱的一个活动中心。中山图书馆则是当时延安面对全社会开放的一所较大的图书阅览中心，它的报刊阅览室有一般单位不具备的国民党统治区出版的报刊杂志，每日来此的读者络绎不绝。

沟口靠内，筑有一个小型音乐台，这儿是延安最活跃最热闹的街头文化活动中心。平日舞台上的三面墙壁，总是挂满且不断更换着的各种文字墙报、漫画木刻墙报以及墙头诗等等，吸引着不少读者；而每当黄昏，特别是周末和节假日，各业余文艺团体，总是争先来此表演或演奏中国古典乐曲和广东乐曲，或合唱、独唱，有的作曲家还来此给群众教唱自己创作的新歌。

露天音乐台对面的广场是个运动场，因是青联所辟，故名之为青年运动场。1942年，规模宏大的“九·一”青年运动大会期间，篮、排球项目比赛就在此进行。贺龙将军麾下的一二〇师“战斗篮球队”和“战斗排球队”在此屡逞神威。

沟口靠外，有一餐馆，也是青联经营的企业，名为“青年食堂”。它的大菜虽不像三八妇女食堂和新市场口的大众食堂那样名闻遐迩，但它制作的葱花大油饼，酥香可口，却也称得上是佳品。

赵寿山在汉中

李大树

1932年冬，红四方面军由鄂、豫、皖苏区转移川、陕期间，蒋介石嫡系胡宗南部以追击红军为名，进驻汉中，企图占领陕西，清除异己势力。爱国将领赵寿山当时系汉中区绥靖司令，一面通过本部中共地下党员姚静尘、张归仁、梁普鲁、张育才、杨法振等，联合“红军之友社”(简称“红友社”，党的外围组织)成员，在汉中同胡部展开了针锋相对的斗争。胡部宣传队在汉中城郊墙壁上大书反动标语，赵部有组织地进行反击。当时我是“红友社”成员，参加了这一斗争。日夜密印、散发、张贴彩色纸小传单；夜间涂改、洗刷

胡部的反动标语,揭露、粉碎胡宗南反动派的阴谋。另一方面,商请孙蔚如、杨虎城将军同意,通过军部参谋武志平(中共地下党员)及进步人士杜斌丞等关系,与红四方面军进行联系。在此期间,赵经常派军需主任上官树德(中共地下党员)带领驮骡运输队,在西安为红军采购军用物资(电讯器材、药品、被服、钟表等),支援红军。这种合作关系,一直保持到1935年春,才为张国焘"左"倾机会主义路线所破坏。

清帝避难的零口行台

李俊民

零口行台，俗称零口行宫，是清光绪皇帝与慈禧太后西京避难时的寓所。它位于临潼县东五十里之零口镇，座南向北，南依骊山，北俯渭水，零河环其东，戏河绕其西。零口为古鸿州府址，地处长安大道，地理位置十分重要。行宫面积十亩，宫墙回环，形若王城，门前上马石、下轿石、拴马桩，对对排列。宫门三间，两侧镇妖石狮一对，铁旗杆一座，门额石匾上刻“零口行台”四字。宫内东西殿宇相对，正南为九间朝王殿，院中有一幢砖木结构钟、鼓小楼。设备虽简而小巧玲珑，规模不大却雄伟壮观。它是中国没落的封建文化遗产，也是中国的国耻纪念。

清光绪二十六年 (1900)，八国联军攻陷北京，慈禧太后与光绪皇帝仓惶西逃。时值关中大饥，饿殍遍野。临潼县令施绍祥奉旨赶修零口行台，不惜民脂民膏，日费万金，昼夜加班，于两旬如期竣工而受嘉奖，百姓怨声载道。西宫銮驾一行千人，离京取道居庸、宣化、大同、太原，从风陵渡过黄河，经潼关、华阴、渭南，农历八月二十四日入临潼县境。是日拂晓，临潼县令率部属及百姓于临渭交界处夹道跪迎。驾至行台，宴毕，两宫即至零川祠祭拜了零川先生灵位 (王零川，乾隆时进士，曾为雍正之师)，夜宿行台。翌日早膳后，銮驾西行，经新丰、行者，未入县城，由斜口入长安界。

次年，丧权辱国之《辛丑条约》签定，清廷苟延残喘，复驾回京。两宫銮驾浩浩荡荡三千之众，一路游山玩水，置百姓疾苦于不顾。农历八月二十四日至临潼县城，宿华清池。时因年荒，县库空乏，招待不周，不仅县吏挨打，还以“慢上罪”将县令夏良材交吏部议处。二十五日，驾过新丰，抵零口再宿行台，二十六日早发零口，夜宿渭南。

两宫离陕后，零口行台曾作为义学，民国十五年(1926)军阀刘镇华围攻西安时遭受破坏。抗战时期，被胡宗南军队拆掉，历史陈迹，毁于一旦!

塞上碑林传佳话

李永清

素有“塞上碑林”、“北国彩屏”和“大漠深处的明珠”等美称的榆林红石峡，以其绮丽的景色和书法宝藏而闻名三秦。此地两峡东西对峙，绿水穿峡南流，有摩崖石刻和碑碣一百六十多处，真草隶篆兼备，汉、满、蒙文荟萃，堪称露天书法宝库。其间自然景观与人文景观互相辉映，相得益彰。

各类题刻内容，多为对祖国河山的热爱，保卫疆域的豪情和汉蒙团结的愿望。

早年曾有巨幅“还我河山”石刻，相传为岳飞所书。按岳鄂王生平征战，足迹并未到过塞上，题刻显系讹传。但前人同仇敌忾，维护国土的强烈愿望，却光耀长城内外。

清同治十二年(1873)，延榆绥镇总兵刘厚基捐资修葺峡中设施，并特请陕甘总督左宗棠书写“榆谿胜地”四字。

“功在名山”石刻，系清末民初地方官吏李棠所书，斯人为官耿介清廉，颇有政声。书法亦颇负盛名。

1924 年，榆林中学丁级毕业生将杜斌丞手书“力挽狂澜”四字镌刻崖上，表述了一代热血

青年救国救民于水火的雄心壮志。

1937 年，抗日将领马占山率东北挺进军驻防府谷。他经常来往于府榆之间，与当地驻军将领过从甚密，在峡中题刻"还我河山"四字，抒发爱国热忱和收复失地的坚强信念。

80 年代，年近九十高龄的王森然先生还为此地题写"红石峡"三字，镶角嵌于门楼。又欣然命笔撰文，深情回忆了当年如火如荼的岁月。

从石峡"天门"登翠然阁，两岸胜景，尽收眼底。春末夏初，红杏吐艳，柳浪闻莺，碧波奔涌，为郊游胜地。历代骚人墨客，多有题咏传此，此处还是 20 年代中共在陕北的重要活动地点之一，刘志丹等曾于此集会。

石崖上还刻有"中外一统"、"蒙汉一家"等词语，尤以蒙文弥足珍贵，它是汉蒙两族友好团结源远流长的历史见证。

北峡之水，穿石窟而下，水石相击，声若巨雷。洞顶刻有"蛟窟龙窝"，上方有石拱桥，延榆绥道道台童兆蓉在桥洞上刻"力争上游"四字。桥东壁石碣上刻"夏元昊葬乃祖继迁于此"字样，虽无实证，也给该地增添了神秘色彩。壁上刻有一联云："依峡构桥垂万代，凿山刻岷著千秋。"惜近此石桥已废，字联亦泯。

名人黄陵留墨迹

张培礼

当人们怀着敬仰的心情，攀登上黄陵县桥山拜祭中华民族始祖轩辕黄帝陵时，那些郁郁参天的古柏，那些气势非凡的宏伟殿台，那些富有民族特色的碑廊、碑亭……给人以遐远追思之情。随着遐思进入眼帘的是一代复一代的名人题词，远的就不说了。笔者见到黄帝庙正门前方，一方形砖砌照壁的北面，有孙中山就职南京任中华民国临时大总统时题的词："中华开国五千年，神州轩辕自古传。创造指南车，平定蚩尤乱。世界文明，惟有我先。"黄帝庙面向南，庙门有三，中间的正门门额上书写着"轩辕庙"三个大字，是1938年国民党陕西省主席蒋鼎文于清明节祭陵时所题。

进入庙内，穿过诚心亭向北到了碑亭。碑亭西侧前边有一通碑，是1937年4月5日，毛泽东亲笔撰写的祭文："维中华民国二十六年四月五日，苏维埃政府主席毛泽东，人民抗日红军总司令朱德派代表林祖涵，以鲜花时果之仪致祭于我中华民族始祖轩辕黄帝之陵。而致词曰：赫赫始祖，吾华肇造；胄衍祀绵，岳峨河浩。聪明睿智，光被遐远；建此伟业，雄立东方……"号召

"各党各界,团结坚固","四万万众,坚决抵抗",把日本侵略者赶出国境。

碑亭东侧,一通石碑书"黄帝陵"三字,那是民国三十一年(1942)蒋介石亲笔书写的。庙院后进是气宇宏伟的大殿,大殿的门额上悬挂着"人文初祖"四字巨匾,是爱国民主人士程潜将军所题。

走出黄帝庙,沿着古道直上,在桥山之巅,令人肃穆起敬、高大雄伟的黄帝陵墓(衣冠冢)座北而面南。陵园被苍松翠柏拥抱, 青草鲜花笼罩,风景清幽。陵前有祭亭,亭中央竖一高大石碑,上刻"黄帝陵"三个大字,是郭沫若书写。

此外, 在黄帝庙东侧一个长回廊式的碑亭里, 有上自北宋下迄清末历代帝王的 "御制祭文"石碑约四十余通。其中有北宋仁宗赵祯的植柏"圣旨";明代嘉靖帝朱厚熜的免除黄帝陵粮税的"碑记",有清康熙玄烨亲笔用满文写的祭文等。

末了愿引秋瑾《轩辕华胄是天骄》一诗:"黄河源溯浙江潮,卫我中原汉族豪。不使胡奴留片甲,轩辕华胄是天骄。"以表敬仰之情。

三元风洞最宜人

李俊民

祖国的名山无奇不有，名胜骊山，以其秀丽的猴石、温泉、风洞而独冠天下，谓之三绝，而三绝之中，尤以三元风洞最为宜人。

骊山西绣岭迤北，华清池朝阳门外，沿曲径踏阶西上，约行半里，山崖险峻，林木遮天，于苍松翠柏之中，有一环境幽雅的古寺，座南向北。门前以青石为桥，栏杆雕龙画凤，颇具诗情画意。凭栏远眺，荆原北幛，渭水环襟，华清风光历历在目。入山门，院内花木修竹，奇珍异卉，芬芳之气袭人，迎面并排三孔石凿窑洞，即三元洞也。

三元，即道教所祀奉之天官、地官、水官三大天尊。三元洞内壁上有五处天然风洞，分布在三个窑洞内。风洞口粗若茶杯，深莫知其底，洞内生风，昼夜不息，其风力相当于二千瓦之马达，风向随季节而变幻，春夏二季风向外吹，秋冬则风向内吸。这种有节奏、有规律的呼风吸气，难道还不神奇吗?酷暑炎炎，洞内凉风徐徐，如入千里冰封的北国雪海，令人心旷神怡，其乐无穷。

三元风洞，天工神造。地球大倾再断岩、断

层之间空隙遥遥相通，从而形成如此美妙的奇观。古时此地虽有风洞，却无建筑设施。民国时期，骊山道教主持卜发云，亲自倡修三元洞，辟为道观，使骊山添锦，华清增辉。三元洞之神奇，不特夏日消暑，还可以风疗疾。每逢庙会，四方善男信女及求医者不远千里而来，先登三元洞，烧香叩头，然后排队治疗，有头痛者以风吹头，脚痛者以风拂足等等，病人口中念念有词(多为祈祷之语)，千奇百怪的姿态，十分有趣。更有趣者，是当你在洞头烧化纸钱时，纸灰不偏不倚都被吸入洞中，多么美妙。人们用风治病，不知有无科学道理?不久前，经科技部门测定，三元洞之风含有氡气，对风湿一类病和癌症具有一定的疗效。

灞柳风雪

潘振扬

每到暮春时节，灞桥畔绿柳低垂，柳絮飞舞，宛如漫天雪飘。这就是“长安八景”之一的“灞柳风雪”。

灞桥之柳，与古长安植柳的传统有着密切关系。长安周围多水、多川，很适宜植柳。周、秦、汉、唐宫中，御道多植柳树，民间植柳也自然蔚成风气。皇家有所谓“隋宫柳”、“华清宫门柳”、

“御沟柳”；民间则有“青门柳”、“章台柳”及“细柳营”等，时人称“烟柳满皇都”，并非过誉之词。

汉时，“灞柳”已闻名遐迩，《三辅黄图》云：“都人送客至此，折柳赠别”，可见一斑。隋、唐时“灞柳”仍处于繁荣时期。从李白词《忆秦娥》“年年柳色，灞陵伤别”句中，可以看出当时迎客送友“折柳”相赠已成风习。到宋时，由于京城东迁，“灞柳”也随之萧条。宋代词人柳永在《少年游》中写道：“参差烟树灞陵桥，风物尽前朝。衰杨古柳，几经攀折，憔悴楚宫腰。”元时，忽必烈的三子忙哥被敕封为安西王来到西安，使灞柳又恢复了生机。《西安府志》记载时景：“灞桥两岸，筑堤五里，栽树万株，游人肩摩毂击，为长安之壮观。”明、清时，古灞桥虽已残破，但灞柳风姿不减当年。清康熙十九年(1680)，河东监使朱集义在其《关中八景(诗画)》中，题《灞柳风雪》云：“古桥石板半倾欹，柳色青青近扫眉。浅水平沙深客恨，轻盈飞絮欲题诗。”

文人佳话

张恨水谈“鸳鸯蝴蝶派”

荆梅丞

张恨水先生是我们的校长，还兼教国文课。先生讲课从不带教案，也不拿提纲，但讲起来却条理清晰，重点突出。记得一次先生讲小说史，讲到鸳鸯蝴蝶派(清末至“五四”前后，以徐枕亚等为代表，专写才子佳人、迎合世俗的小说流派)时说，有些人不了解鸳鸯蝴蝶派的历史，把凡是作品中有爱情情节的都划到鸳鸯蝴蝶派之列。要是这样，那么我们中国文学史上引以自豪的《诗经》、《西厢记》、《红楼梦》和外国的《复活》、《茶花女》岂不都成了鸳鸯蝴蝶派了？托尔斯泰、曹雪芹岂不都成了老鸳鸯、老蝴蝶了?这是谬误之说。

还有一次他讲古典文学时说，用章回形式写小说是我国古代文学家的伟大发明。现在有人把它说得一无是处,恨不能弃之茅厕,这是不对的。真是这样,《三国》、《水浒》、《红楼梦》何以成为名著?试想将这些书上的章回统统去掉,改为1、2、3、4的阿拉伯数字，或干脆连数字都不要,全篇一贯到底,效果会怎么样呢?

吴宓教授讲“红楼”

刘善继

抗战胜利后,西北大学于1946年从陕南城固迁回西安。翌年春夏之交,学校聘请吴宓来校讲学并开设《红楼梦》讲座。我知道吴先生是全国著名教授、红学大师，曾经和鲁迅进行过论战。因此,下决心不听别的课,而要去听《红楼梦》讲座。

这天下午,讲座在学校大礼堂举行。当我走进礼堂时,只见听讲的人黑压压一片,已经没有空位子了。我硬挤在一位熟同学的旁边坐下。远远望去,讲台上一位身着长衫、身材瘦弱的老头正在来回踱着慢步。他就是吴宓先生。他用清晰的语调分析《红楼梦》中的主要人物。他说:贾宝

玉是一位情痴,对爱情非常专一,他心里只装着林妹妹，即使美如天仙的薛宝钗也不能夺走他的心。他是非林黛玉莫属的。但是,贾宝玉又是一位爱情极不专一的人,大观园中,凡是模样好一点的姑娘丫环,他没有不爱的。这种对爱情又专一,又不专一,构成了贾宝玉的性格特点和内心矛盾,也构成了他的悲剧结局。接着,吴宓提到紫鹃,认为紫鹃是一位心地善良,对林黛玉关怀备至的人,她为林黛玉服务,任劳任怨,忠实可靠。吴宓还表示自己愿作紫鹃这样的人。他的讲课不时为笑声打断,整个礼堂气氛十分活跃。我深深感到吴先生的感情是那样丰富，性格是那样率真,而且有自己执著的追求。课一讲完,我便匆忙跑上讲台，把事先带来的吴宓的译著斯宾瑟《文学批评之原理》一书拿出,请他在书上签名。吴先生对我笑了笑说:“你还买了我这本书?书放下吧!我拿回去题字,下次讲课时你来取。”

第二天下午，吴宓先生在讲座开始前便把书给了我。我打开一看,封二上题有一首诗:“需凭史册为龟鉴,莫与凡俗共信疑,文质迭更穷则反,一多并承万缘机。”诗是用蝇头小楷写的,字迹工工整整,一丝不苟。对吴先生认真待人、认真办事的精神,我不禁肃然起敬。我体会诗的前两句是要我多学习历史，以历史的经验教训作为自己言行的指南,不要随波逐流。后两句的含义,当时我还不大懂。随着岁月的流逝,这件事我几乎忘却，题有诗的书，也不知被谁借走，至今没有还给我。

1990 年 5 月，西安举行吴宓先生学术讨论会，勾起了我对吴宓先生的回忆。同时，也得知吴宓先生是 1978 年在他的家乡泾阳逝世的，享年八十四岁。文革中的冤案已得平反昭雪。我了解到这些具体情况，心中有些黯然。我是不相信毕达哥拉斯派这一古希腊早期的唯心主义的“一多”哲学思想的，但吴先生一生的曲折、浮沉、变化，是否印证了他说的“文质迭更穷则反，一多并承万缘机”？

李敷仁与钉锅匠的文墨之交

张明成

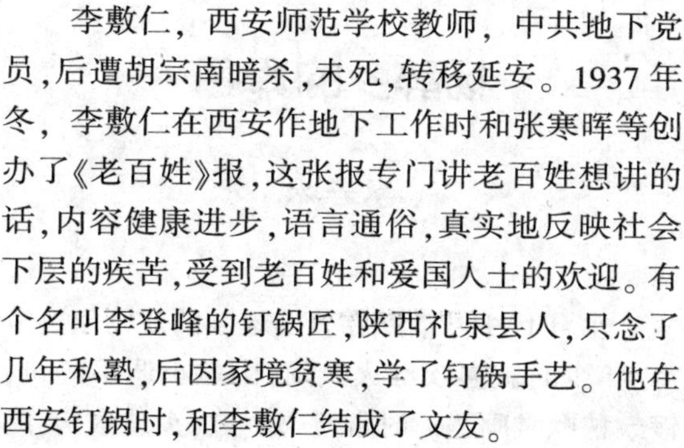

李敷仁，西安师范学校教师，中共地下党员，后遭胡宗南暗杀，未死，转移延安。1937 年冬，李敷仁在西安作地下工作时和张寒晖等创办了《老百姓》报，这张报专门讲老百姓想讲的话，内容健康进步，语言通俗，真实地反映社会下层的疾苦，受到老百姓和爱国人士的欢迎。有个名叫李登峰的钉锅匠，陕西礼泉县人，只念了几年私塾，后因家境贫寒，学了钉锅手艺。他在西安钉锅时，和李敷仁结成了文友。

1945 年夏，李登峰得知西安有个专为受苦人说话的《老百姓》报，就利用空闲时间编了一段题为《箍漏锅的生活》的快板，寄给《老百姓》报，报社采用了。不几天，报社给他寄去报纸并附有李敷仁的信，鼓励他今后多写稿子，并约他来报馆一见。

李登峰接信后非常高兴。一天，他来西安钉锅时，巧遇报馆大师傅钉锅，引他见了李敷仁。李敷仁高兴地拉着李登峰的手说："你的快板写得很好，今天总算把你请来啦！请坐。"急忙拿烟倒茶，热情招待，两人谈得很融洽。走时，李敷仁对他说："《水浒》是本好书，是反映农民起义的，回去后应当读一读。"并送他一本《谚语新编》，作为纪念。李登峰也把自己收集的一本谚语小集子和一部《五方原音》字典送给了李敷仁。

此后，李登峰常利用晚上或下雨天给报馆写稿。这位贫寒的钉锅匠，遂成了李敷仁的座上客，两人结下了文墨之交。

杨醉乡的诨名

李若冰

20年代中叶活跃在延安地区的戏剧家杨醉乡，年少时就喜欢红火热闹，山歌小调不离口，锣鼓秧歌常闹腾。时常背书不过，头顶水碗，跪在孔圣人像前忏悔，可是唱起戏来一下子就会了。1925年他考入延长高级小学，在《缠脚戒》一剧中扮演老婆子，说快板："她爸打、她妈骂，她嫂子跟上拧耳朵，谁家女人不缠脚，就像母鸡窝！"表演腔调酷似老婆子，从此"杨老婆"的诨名叫红了。

1936年冬月，他参加了人民抗日剧社。后来剧社改编为延安抗战剧团，他担任团长，仍然在许多话剧、快板剧里扮演老婆子角色，如《死亡线上》、《消灭汉奸》、《三姐妹》和《阿Q正传》等。他一出台，观众哗然："这个老婆演得像得很！像神啦！"1940年在甘肃陇东演出时，竟有四五个老婆跑上台来找"杨老婆"拜干姐妹，开口便喊："老嫂子，你今年多大岁数啦？"

他还没来得及卸装，忙答："四十五啦。"

"你老家在啥地方？"

"老家在陕北。"

"哎呀可远呢！你出门有几年啦？"

"有五六年啦！"

"哎呀，你都不想老汉娃么？"

"咻还想啥哩，要是人都离不开老汉娃，打日本鬼子还能成功嘛！"

"对对的。你咻大脚片子能跑动路嘛，看我的脚缠得死死的走不成路！唉，不知哪个瞎瞎皇上留下女人要缠脚，真是害人哩！"

"以后甭给娃娃缠脚啦。如今咱们怨恨皇上，娃娃们要怨恨咱们呢！"

"嗯嗯，你老嫂子说得对对的……"

杨醉乡演老婆子几十年，平时连说话也不知不觉地带着老婆腔调了。时至今日，那些熟悉他的人一见面，仍唤他的诨名："杨老婆！杨老婆！"

牛兆濂二三事

李耀琚

牛兆濂，字梦周，陕西蓝田县华胥乡新街村人。幼家贫，酷嗜读书，天资聪颖，脑子反应敏捷，每试常为诸生冠，塾师甚异之，辄向人赞其贤，勉其再接再励，继续上进。嗣后，他开口成章，诗文并茂，人称"牛才子"。他曾撰一对联自慰，云：

十亩薄田一度春风一度雨；

数椽茅屋半藏农器半藏书。

这副对联不但将其家庭经济状况概括无遗，而且对仗谨严工稳，达到了炉火纯青的地步。

牛兆濂中举后，满清统治者昏庸无能，政治腐败，外敌相继入侵，国势日蹙。迨至民国，南北分裂，军阀拥兵自雄，割据独立，民国徒有其名，因而决意终生不仕。他潜心博览群书，对理学造诣颇深，是我国西北的名儒。一生教书育人，著书立说，启迪后代，桃李满三秦。

1926年，河南军阀刘镇华率镇嵩军六七万人(号称十万)围攻西安。起初他满以为马到成功,西安城指日可破。谁料事与愿违,围城八月,猛攻数十次,均被击退。西安城坚不可摧。刘气急败坏,无计可施。适有一幕僚进计:“蓝田县有个‘牛才子’,何不往访?”刘从其言,即赴蓝田拜访。到牛家,见门内有一只猛犬,不敢进去,遂叫人把牛兆濂请出。牛兆濂见到刘镇华即说:“我这里有一条狗,你都不敢进来,西安城内有两个老虎 (指杨虎城、李虎臣二将军),你还能进去吗?”刘镇华听了,觉得很扫兴,遂悻悻然登车而去。

史一三弃官从教

李俊民

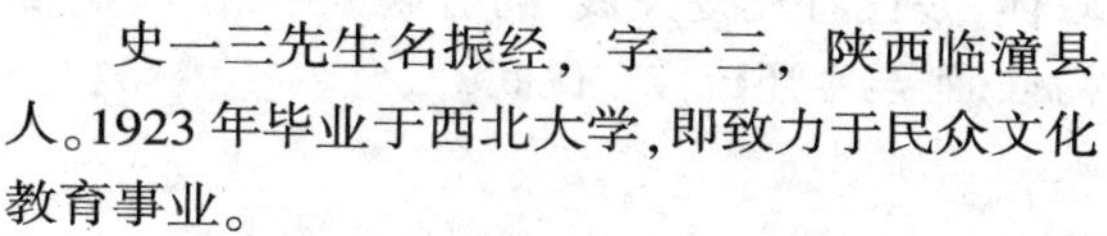

史一三先生名振经，字一三，陕西临潼县人。1923年毕业于西北大学,即致力于民众文化教育事业。

1930年,杨虎城将军督陕,闻先生之名,拟任其为长安县长,先生坚辞不就。后推托不过,卖了家里三亩地,出任柞水县厘金局长。他对下乡征税人员规定:每天带二斤锅盔,不许吃请受礼,坑害百姓。他当了两年税官,挣了个“二斤锅盔”局长的雅号。友人甘肃省省长邓宝珊特请他任酒泉县长，他说："我志已定，不复为官。"邓遂委以平凉中学校长之职。1937年卢沟桥事变后，先生毅然投笔从戎，奔赴太行前线，任三十军张英山团书记官，后抱病回家，积极宣传抗日，被咸阳宪兵营以"赤化嫌疑"逮捕。

1934年，史一三任临潼零口中心小学校长。胡宗南秘密逮捕了爱国民主人士董志颖，群众敢怒而不敢言，一些所谓"正人君子"倏然回避。他愤愤不平，赶到火车站阻拦，骂得那些特务理屈词穷。三日后，先生竟受株连被捕，与董同关一狱。他被捕时，毫无畏惧，还当场作打油诗朗诵："书房正上课，从天降大祸，甘愿打监坐，不惧光秃子(指蒋介石)，哪怕胡老大(duo，指胡宗南)！"

史一三学识渊博，能书能画，善诗善联。1928年《登骊山》一诗中写道："沿路太多名利客，往来难免尘埃侵，仙池玉液都知洗，何故洗身不洗心。"他曾为一位县长作过"勤政须知勤政体，爱民且莫爱民钱"的对联，在民国时期传为佳话，至今还流传在民间。

张季鸾评《永昌演义》

高治中

《永昌演义》是以李自成领导农民起义为题

材的一部小说，中共十一届三中全会后才正式出版，公开发行。它的作者李健侯，和李自成是同乡，陕西米脂人。李健侯一生主要从事著述。他研究了许多史料，搜集了流传于米脂的大量传说，花了多年心血，才写出《永昌演义》。

《永昌演义》脱稿不久，李健侯曾想以一千元把版权卖给《大公报》。他于1930年夏托人把稿捎到天津我的七祖父高协和处。高协和也是米脂人，当时在天津《庸报》和《益世报》做事，还兼任唐山交大等校教授，和张季鸾同时留学日本，关系甚好，往来密切。我七祖父将《永昌演义》交张，张看后准备把版权买下，说："这书写得像陕北的八碗，肉一块，菜一块。""八碗"是陕北一些地方的一种酒席，以大肉为主，肉几碗、菜几碗，共八碗。张季鸾用"陕北的八碗"作比喻来评论《永昌演义》，是指写作上的不协调和不成功之处，是从艺术上着眼的。这个评论是有一定道理的。后来因一些原因，《大公报》没有买《永昌演义》的版权。

毛泽东到了延安，读到了《永昌演义》书稿，1942年4月29日给李鼎铭的信中说："此书赞美李自成个人品德，但贬抑其整个运动。"这比张季鸾对《永昌演义》的评论正确、深刻得多了。

秦腔正宗李正敏

魏　怡

长安李正敏(1915—1973),十二岁入西安正俗社正科,师高登云、党甘亭,习小旦、青衣。得琴师荆生彦之助,按他的声腔抑扬亢坠特点,设计曲调,依情行腔。其声醇厚清越,扮相朴实逼真,尤擅演贫妇及其他悲剧人物,神韵天然,以"敏派"驰誉西北。

1935年,李正敏二十岁,正是他声价日增之年,百代公司邀请他赴上海录戏(灌唱片)。李正敏和琴师等文场武场,都是第一次出潼关,穿戴举止一身的秦川土俗。来到十里洋场,说话腼腆。百代公司老板蔑视这一伙“老陕”，鼻子哼了一声，就把李正敏一行安排在通铺大厅里。一周后，老板传下话来，要李正敏试唱。试唱这天，老板请来几位戏曲专家听戏。当文场武场落座之后，李正敏语气昂然的自报节目：《五典坡·探窑》。他才唱了第一句“老娘不必泪纷纷……”，百代公司的一楼大厅里，顿时肃然无声，只听他吐字清晰，委婉传情，围观的人个个闭气息声，引颈敛容。乐止，老板和他邀请来的专家，齐步上前，紧握李正敏的手说：“李先生，你是真正的艺术家，你的唱腔，是真正的秦腔正宗！”老板笑容满面，手指楼上说：“请李先生一行人搬上三楼住！”

李正敏在百代公司挨次灌了《五典坡》里的《探窑》和《赶坡》，以及《黛玉葬花》、《重台》等八张唱片。每张唱片的报幕词，是以“百代公司特请秦腔正宗李正敏先生唱”为开场白。上海《申报》也以《秦腔正宗》的标题，介绍了李正敏的艺术造诣。李正敏的秦腔唱片，在1936年巴黎国际艺术节，作为艺术交流项目之一，向来自世界各国的艺术家们播放。从此，秦腔传播于西方各国。

李十三和他的"十大本"

高　泽

李十三，本名李芳桂，字林一，号秋岩，又号鹭峰，陕西渭南各店乡十三村人，生于清乾隆十三年(1748)，乾隆五十一年(1786)丙午科陕西乡试举人，卒于嘉庆十五年(1810)，终年六十二岁。生平为碗碗腔皮影戏创作，有《春秋配》、《香莲佩》、《十王庙》(即《如意簪》)、《玉燕钗》、《白玉钿》、《紫霞宫》、《火炎驹》、《玄玄锄谷》、《四岔捎书》、《万福莲》十部剧本，艺人统称为李十三的"十大本"，缩编为谐韵联句"配佩庙钗钿、宫驹谷书莲"。二百年来，"十大本"为全国各剧种所移植上演。其中《火炎驹》于50年代中期搬上银幕。

渭北"一竿旗"

高　泽

渭北，是时调碗碗腔皮影戏的发祥地。当地民间流传有四句话："非我爱看杜相公，清音雅韵压西、潼。诸君不信睁眼看，那个能唱十本红。”

“杜相公”，说的是艺人杜声初(1865—1953)，渭南县渭北人，清光绪年间乡试落榜秀才，掌握诗词知识，由于酷爱李十三的剧作“十大本”，改从戏业，尤以演出“十大本”为看家戏，终生乐此不疲。“十大本”的艺术特点是雅俗共赏，剧作思想寓意反清，词曲典雅俊逸，声律谐美殆绝，又时时出间巷滑稽语，其新丽处与轻狂处皆足惊人，如聚椒兰之酷烈，深受观众的喜爱，杜声初深得“十大本”的旨趣，演出时别出心裁，虽然剧情假托于唐宋或元明的人物故事，但无论冠戴丑角还是衙役等人物，全部身着清人服装，使剧本隐含的反清思想更加明朗化。剧本中即使写有皇帝，但亮子上只摆桌椅，不出御前仪仗，用“幕后声”说完皇帝要说的“白口”，形象地体现了“十大本”的精神，是“传神”、“传情”的绝唱。于是，群众称颂他是碗碗腔艺人当中的一竿旗。“一竿旗”遂成为杜声初的艺名，誉满三秦长达半个世纪，其原名渐不为人所知。

30年代的一年麦罢，渭北各店乡花池村打醮酬神，请“一竿旗”演出《紫霞宫》，照例有方圆数十里的群众来看戏。夜半，突降大雨。戏正唱到高潮，“一竿旗”的感情如瀑布直泻而下，停不下来，叫“襄封”的抱来芦席把台子绷严实。又继续唱了一个时辰，只听雨点哗哗响，戏台下却鸦雀无声，他以为看戏的早都走光了，才叹息说：“实在不能往下唱了!”话一出口，台下哗的一声，

吆喝呐喊声，吹胡哨声，踏水溅泥声，乱成了一片。“一竿旗”大受震惊：“哒哒！还都没走！”

“一竿旗”很重视戏德，把皮影戏看成是一宗文化，并教授徒弟：“走遍天涯，到处有吾家。步长途，风吹雨洒；登高台，讲经说法；论琴音，六律通造化；论字义，四声不敢差；讲情节，一白、二笑、三哼哈，老、外、末、贴须像他。演苦戏，引人泪巴巴；演乐戏，惹人笑哈哈，戏假情不假……”

长安何家营鼓乐社

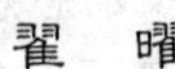
翟 曜

长安城南、潏水河畔的何家营，是唐代何将军山林故地。杜甫有游何将军山林诗十五首传世，诗中有名句：“名园依绿水，野竹上青霄。”“旁舍连高竹，疏篱晚带花。”“绿垂风折笋，红绽雨肥梅。”……

何家营乡民，雅好音乐。唐宋以来，即组成鼓乐队。农耕之暇弄管吹笙，自得其乐。

何家营鼓乐，分为行乐和坐乐两类。行乐是行走时演奏的乐曲，配器较简单，多为单牌子散曲。节奏规律，严整有序。坐乐为坐着演奏的套曲，曲牌一千多首，旋律乐器有笛、笙、管、双云锣、方匣子，节奏乐器有鼓、铙钹、锣、木鱼、水铃等，共二十余种。配器手法灵活而丰富。演奏时配合默契自然。乐曲中有见于唐宋大曲的《小梁曲》、《后庭花》、《游声》等，有见于唐宋杂曲的《料俏》、《南浦春》，还有一些民歌小调。曲牌繁多，色彩斑斓。何家营鼓乐保存有两本古旧的曲谱，上书"大唐开元五年六月十五日"，用俗字谱抄成，其字如卷云飞鸟，今人多不得识，惟老艺人尚知其奥秘，译古为今，翻新变化，实为研究古代乐曲拓辟了一条蹊径。

建国以来，濒临湮没的何家营鼓乐，受到人民政府的极大关注和支持，征集整理了散佚的曲谱资料，添置修理了各种乐器，重新组织了民间艺术队伍，传习演奏，日益活跃。宋词研究专家夏承焘先生说："西安鼓乐是解放以来发掘民族文化遗产上最大的业绩。"音乐家冯光钰说："西安鼓乐，深沉、古朴，含有一定的哲理性。"何家营鼓乐这一中华瑰宝，民族正音，举世瞩目。国内各地和英国、美国、苏联、意大利、奥地利等许多专家学者都到何家营来参观访问，欣赏稀有的隋唐遗音。

1981年11月，何家营鼓乐社与日本奈良市雅乐团在古城长安同台演出，音韵清雅，曲震云霄，日本友人大为折服，方知日本的古乐源头在长安。

徐悲鸿谈画马

王企羊

1942 年春，我有幸参加刘石心先生为徐悲鸿举办的家宴。席间，我有好些疑问盘旋脑际：徐悲鸿善画马，更喜画马，必然爱马。然则，徐何为而爱马？其所爱所画之马是何等的马？他又是以若何之激情驱遣彼不羁之牲灵等等。及至主菜上席，宴会已达高潮，我终于不揣冒昧，提出有关画马种种问题。徐沉思片刻，以反问的方式从容作答：

各位必定熟知我国古代伯乐与九方皋的故事吧？悲鸿所爱所画之马有别于诸家者否？在下

可曾画过衣轻裘者所乘之肥马？还是画过銮辔丁当，碎步轻盈，踏花归来，蹄下飘香之秀马？当然，诸君也不会见到豪族畋狩，纨袴竞技，专供其游乐的猎马与赛马出自鄙人之手吧？此外，列位当知尚有侠骨义胆的贞烈之马，可歌可泣，能不颂赞?!至于那驯良有加，不识前途，瘦骨崚嶒，徒劳终生之役马，可悯可悲，风发意气何所从出？省些笔墨为好。

徐悲鸿说到这里，戛然而止，默坐良久，神情怆然。

慈禧赞赏甘棠画

张培礼

1900年8月，八国联军攻入北京，慈禧太后和光绪皇帝西逃西安。陕甘总督魏光焘，为迎接这班落魄贵人，耗费巨款，雕梁画栋，把西安北院门的陕西巡抚衙署整修一新，暂充慈禧和光绪皇帝的“行宫”。在“行宫”一进、二进、三进院内大堂、寝室、暖阁等处，均置各式大小屏风。光绪和隆裕太后寝室门外的屏风中，有平利县国画高手甘棠画的葡萄。苍绿的叶子，龙走形的藤枝，紫中带浅白色的葡萄吊串，形成一幅完整的画面。慈禧老眼昏花，始一见，以为真的一架葡萄，待走近用手要摘葡萄时，才知是画。她赞赏

不绝,并召见了负责监修“行宫”的陕西布政使端方,向他问明画葡萄人的籍贯姓名,让李莲英记下来,以便日后调用此人。

慈禧回京后,没有忘掉画葡萄的甘棠。她诏甘棠入京,先在紫光阁为她绘彩作画,又到颐和园为她描画长廊。可惜这位深得慈禧赞赏的画家高手,死后名不见经传。1984 年春天我到平利县,看了资料,访问知其事的老者,故书以志之。

阿房片瓦结诗缘

刘粤基

我省文史馆已故馆员李白瑜，是一位才华出众的书画妙手,为人洒脱不羁,一生有许多风雅轶事，尤以与郭沫若的一段翰墨酬和最为脍炙人口。

民国二十三年(1934),李白瑜在阿房宫遗址闲游,偶拾得古瓦一块,凭着他艺术的灵感,归后琢砚一方，并隶书刻铭其上:“阿房片瓦不值钱,抱残守阙三千年,白瑜得之作砚田。”后将此砚赠予友人刘弱水。民国三十一年(1942)刘在川大任教授时,砚为郭沫若所见,郭称赞之余,诗兴油然而发，遂命笔题五言诗一首赠白瑜,诗曰:

完璞未雕时,玉人抱之泣,

一旦化神奇，龙蛇破封蛰。
纵令摧毁之，一字一珠粒，
媢俗何为者，哲人安所习。

此诗从未公开发表过。白瑜将郭之手迹珍藏数十年，知此者莫不颂为艺坛佳话。

李白瑜是陕西省西乡县人，早年就读于上海美专，曾受潘天寿、张玉良等名家指点，艺路甚宽，除国画外，颇善于治印。刘海粟、张善孖曾为其印谱题字，于右任也称赞他是“金石家后起之秀”。80年代中，白瑜欣逢盛世，再度焕发艺术青春，1986年辞世，书画遗作多幅，至今仍为识者所推崇。

马仞兰绝命诗

李逢春

马仞兰，女，宝鸡县县功镇马家园子人。自小聪颖勤奋，刻苦好学。十岁，即巧手针黹，擅于诗文。其父马承基，清光绪乙酉科拔贡，曾任四川简州知州，民国初年任陕西白水县知事，因不满政局，告老还乡，亲教子女读书。仞兰最为其父钟爱。

1915年农历四月的一天早晨，一群荷枪实弹的土匪冲进马家园子村，仞兰即收拾一小包，携母仓皇从后门逃出。其母年老脚小，步履艰

难，逃至屋后半山坡，匪即赶至。抢去了小包，又逼母要金银。母言无，匪疑道谎，欲开枪，仞兰挺身向前护母，详告以无金银之实，求其勿残害生灵，以杀人犯法理晓之。匪徒粗鄙蛮横，以善言为辱，开枪射击，仞兰立即倒地。

匪徒走后，仞兰被救回家。在她生命奄奄一息的一日之内，写绝命诗八首。其诗曰：

一

谁叫遍地起狼烟？玉碎甘为耻瓦全。
一死千秋名义在，不留遗恨到黄泉。

二

怡怡弟妹侍高堂，两弟承欢岁月长。
儿向西天归净土，双亲切莫泪沾裳。

三

虚抛廿四好年华，未报劬劳暗自嗟；
渺渺芳魂乘鹤去，白云深处是吾家。

四

久厌繁华悟性真，最难忘处是双亲，
聪明根蒂谁留得，愿向他生再种因。

五

平生枉读木兰词，今到临危徒添悲。

再生当为奇男子,削除群盗救恩慈。

六

鹤唳风声草木惊,桃源何处可全生?
红羊浩劫应难免,但愿来生作弟兄。

七

生来深户在朱楼,偷活草间实可羞。
女子空怀家国恨,男儿若果赋同仇。

八

谢家玉树本连枝,一旦遭风委尘泥。
叮咛阿莲须记取,勿忘尔妹痛心诗。

仞兰死后,此诗广为流传,陕西省图书馆馆长、老诗人柏孝龙读其诗,大受感动,即为立传,并赋七律二首为赞。其一曰:

陇县女子识纲常,绝命诗留字字芳。
救母心肠如铁石,保身肝胆凛冰霜。
一团正气真无怯,万载英名在故乡。
我亦辛酸和泪读,活人不及死人香。

武志平《马道驿闻鸡》诗

陈泽孝

马道驿，在今留坝县南三十三公里的马道镇，自古为褒斜栈道、连云栈道交汇后的一个军旅重镇。

公元前206年，刘邦被项羽封为汉王，就国汉中。适逢韩信弃楚归汉，经丞相萧何的屡次荐举，刘邦仍不重用，韩信一气之下出走了。他匹马沿褒斜栈道来到一处名叫寒溪的地方，由于寒溪河水猛涨，韩信不能渡，正徘徊之时，萧何策马追来，经再三劝阻，韩信回到汉中，刘邦筑坛拜为大将。同年八月，“明修栈道，暗渡陈仓”，一举平定了三秦地，为创立汉室立了大功。当地流传着两句谚语：“不是寒溪一夜涨，哪得刘朝四百年。”后人为了纪念萧何的爱才精神，在这里修了南海庙，古称“萧何祠”，又立了几通碑。现存的四通古碑，成为留坝县的名胜古迹之一。其中清嘉庆十年(1805)一通，上刻“寒溪夜涨”四个大字，上款为“汉酂侯追淮阴侯，因溪夜涨至此故及之”，下款为“……马道驿丞黄绶立。”清乾隆八年(1743)一通，上刻“汉相国萧何追韩信至此”，下款为“咸丰五年马道士庶人等重刻立”。还有一通《重修南海庙碑记》，记述了韩信

当时至此不能渡的原因。

1933年4月29日,国民党西北军杨虎城部三十八军军长孙蔚如的参谋武志平(中共党员)随军来到这里。看了这些石碑和古寺,想起了二千一百多年前萧何追韩信的故事,又想起自己接受党组织交给的任务:明为国民党的参谋,暗地为共产党办事,兴无产阶级的大业……思绪万千,一夜没有合眼。睡到半夜,忽闻山镇鸡啼声,立即起床,写了一首《马道驿闻鸡》诗:

寒柝报三更,苍茫动客情。
万民皆涕泪,群盗尚纵横。
灯闪烽烟色,鸡鸣鼓角声。
中宵遵党令,缚绔事南征。

武志平同志当年在汉中为促成西北军与红四方面军的互不侵犯、共同抗日,创建红色交通线等做出了卓著的成绩,在汉中地区享有盛名。

陈浅伦的《狱中诗》

刘粤基

1921年,陈浅伦还是一名十五岁的小学生时,在其《习文本》中就有许多抨击时弊的文章。在《提倡实业说》文中,他认为平等、自由、博爱是治国三要素,“得之则民强而国兴,失之则民弱而国衰”。1926年7月,陈浅伦在北平出版的

《西乡报》上发表《人格与救国》一文，痛斥官场的腐败。他写道："民国以来，政以贿成，官无廉耻，军阀政客误国，愿我青年，力挽世风，做救国救民的中流砥柱吧！"

1928年元月，陈浅伦与萧儒丞等改编移植了西安易俗社《鸡大王》、《写白信》、《冬烘先生》三出秦腔为话剧，亲自在县城登台演出，揭露封建官僚的丑恶现象，使号称"三老"的西乡劣绅惊惶失措，联名向陕西省国民党党部告状，诬蔑浅伦"聚众闹事，图谋不轨"。省党部发电："此类宣传务于二月十五日前停止。"于此可见，此次宣传震动之大，而且首创了在西乡舞台上编演现代戏的先例。

1928年9月，陈浅伦到上海就读于江湾劳动大学，同年加入中国共产党。1932年，浅伦返回汉中，任中共陕南特委书记，公开身份是汉中共立中学训育主任。他在校创办了进步刊物《孤灯》，亲自写了发刊词：

孤灯，孤灯，如日之升，
打破黑幕，放出光明。
惊醒了劳动群众，
准备武器，向敌人进攻。

诗文简洁，寓意深远，确是黑暗中的一盏明灯，激动了当时的众多热血青年。这年5月，浅伦被捕，在狱中，他写了《给妈妈(指特委)的十二封信》，表示他斗争到底的决心。其中有一首《狱中诗》写道：

夜月朦胧，星光闪闪。
铁窗风寒，镣声不断。
是这样黑暗，是这样悲惨。
借这风声，我要呼喊：
斗争吧，劳苦的大众！
起来吧，苦难的人民！
把封建的恶势力连根除净！

不久，浅伦被营救出狱，改名陈潜，在西乡、城固边境组织工农红军第二十九军。陕西省委任他为军长兼政委。由于反动势力的围攻，陈浅伦"壮志未酬身先死"。但是，他的光辉业绩永远彪炳史册。

韩干画马图碑

雍致昌

1973年，汉中地区文物工作者普查文物时，在洋县县政府(唐宋时代洋县旧衙)夹墙内，发现唐名画家韩干画马图碑一通。据《洋县志》载：《韩干石墨，在(县衙)二堂西壁，图二马，肉殖生动。款示、年代，为煞风景者惮印之烦，齿坏磨灭，惟存'韩干'二字。"又《城固县志》对此碑亦有评论："韩干画马二，司厩一，引之相对啮草。骨肉亭匀，神闲态逸。千金买骏，八百买骨，此幅可以增价矣。"碑高90厘米，厚15厘米，上画两匹骏马，两马相对吃草，有一牧人立于马旁放牧。由于年代久远,加之历代统治阶级不重视文物保护,文人墨客,游人闲士,纷至沓来,或抚摸碑石,或磨撞敲打,给这通石刻图碑带来了无穷灾难,使其伤痕斑斑,惟题款处石痕下方存“韩干”二字,目睹者深感痛惜。使人欣慰的是画碑镶于夹墙之中,不易被人发现,免遭毁灭。

韩干在这幅画中,只用了不多的笔墨,传神地画出了由一人牵系的两匹骏马,神采焕发,顾盼惊人,用笔纯熟简练,轮廓均用细劲的线条勾勒,头颈、身躯、臀部、蹄部都表现得十分真实而生动,神态自然,雄健而又驯顺。马旁的牧人,神态真切动人,人与马相互呼应,处理得很协调。这幅作品可算是韩干传世作品中的一件精品。宋苏轼《书韩干〈牧马图〉》说:“厩马多肉尻脽圆,肉中画骨夸尤难。”夏文彦也说他“得骨肉停匀法”,都道出了韩干画马的特点,说明“肉中见骨”需要高超的艺术技巧和表现手法。洋县韩干画马图碑与现保存在台湾的韩干《牧马图》(有大观元年丁亥赵佶题署“韩干真迹”)的画法极相似。

史书载:“韩干,唐大梁人,亦曰长安人。玄宗时,官太常府丞,善画,工人物及写貌,尤善画马。时陈闳以画马授之于帝,帝令干师之。干不奉诏,曰:‘臣自有师,陛下内厩之马,皆臣师也。’”这说明韩干不迷信名家。他以造化为师,非常重视写实,经常到皇家养马的“骐骥院”仔细地观察、描摹，达到思想上胸有成竹，艺术上我行我素，技巧上我有我法，故画出来的马形神兼备，异常生动，成为我国历史上杰出的画马名家。

于右任扔手帕

李逢春　彭世仪

1936年6月，国民政府监察院院长于右任回三原老家探亲，并视察他在三原县城创办的民治高等小学堂。三原县召开大会，请他讲话。于为人刚直，感情丰富。他讲到国计民生，特别是列强侵略中国灾难深重之时，慷慨激昂、义愤填膺，汗流满面。在一旁的三原县长，见于汗流不止，连忙掏出自己的手帕，伸手给于擦汗。于先生本来就厌恶这班阿谀之徒，见他如此，十分生气，不但严肃拒绝，将他递过来的手帕也扔在了地上。会后，于右任严正地对这个县长说："为人应端方正直，为官应表里如一，不卑不亢，忠于职守，严以律己，才能有德有威，办好国事民事。”那县长十分尴尬，但也只好连连称诺。

茹欲立拒官

辛介夫

陕西三原茹欲立(1883—1972)，学养深厚，刚正不阿，久为士林所景仰。成童之年，曾从三原名儒朱佛光受业。研经学史，苦读寒窗。后转入三原宏道书院，博览群籍，学业大进，诗、文之外，酷爱书法，籀、篆、隶、楷，无不精娴，所作寸楷条幅，人称绝品。自1933年淡泊自守，卖字为生，绝意仕途，不再涉足国民党污浊的官场。

1936年双十二事变后，蒋介石被迫停止内战，联共抗日。但回南京后，又扣押张学良，恐张、杨所部及陕西群众人心不服，想用以陕治陕的手段，安抚一下，于是电召当时《大公报》主笔张季鸾面授机宜，嘱他代请茹氏出任陕西省主席。张、茹二氏，谊属同乡，系多年老友，晤面之后，谈及此事，茹欲立轻蔑地笑了一笑说：“双十二事变时，是周恩来救了蒋的命，我算何许人也?还是另请高明吧!”张季鸾深知茹氏为人是富贵不能淫，威武不能屈的，再加劝说，也是没用，因而不再赘言，稍叙友情之后，即悄然离去。

清官邓长耀

李俊民

邓长耀(1881—1956),河北省人,民国初随冯玉祥将军入陕,先后任临潼、长安等县知县及陕西省民政厅厅长等职。

1921年,邓长耀知临潼县政,勤政爱民,布衣草履,不带一兵一役,徒步渭河南北,访贫问苦。民不识其为官,皆乐以实情告之。因此,他对人说:“我也曾作过百姓,自知乡下情由。”每日黎明即起,洒扫院落,栽树浇水,衙役皆效之。他在大堂上亲书楹联:

倘若爱民一文钱,请唾吾面;

莫忘公仆两个字,感服民心。

额曰“与民为善”。

邓在临潼为官三年,办了三件大事:一是改乡村古庙为新学堂,念新书,提倡女子放足、上学;二是禁止鸦片,取缔赌博,改造懒汉;三是兴修水利,植树造林。在任内风俗淳厚,城乡无盗,岁稔民安,时称“清官”。今日骊山之古柏,华清之杨柳,即是当年邓知县绿化骊山的见证。当时有人作诗赞道:“媚媚华清柳,昔年何所有?依依垂青者,成自邓公手。”

邓学问渊博,善与学者交往。他节衣缩食,

以自己三年薪俸所积，组织修编刊印了《临潼县志》。1923年，他奉命调任长安知县时，全县数千民众携带礼物，在县城西门外排了一里长的队，痛哭流涕，一再挽留。邓长耀看到百姓恋恋不舍的情景，亦泣不成声，再三长揖致谢，并朝西门深作三揖，朗声吟诗一首云："秦川三司牧民官，不让当年范雎寒。一辆洋车一蒲扇，两袖清风赴长安。"

"白面包公"张布衣

李俊民

民国时期，关中流传着一首民谣："关中出名流，临潼有三侯，布衣张督办，白面包文正。"张督办即人所乐道的张布侯先生。

先生名布侯，字正鹄，临潼县零口镇寇家村人，生于1868年，清光绪举人。辛亥革命时，随张凤翙举义反正，参赞军机。革命胜利，先后任兴平、武功知县，继任陕西省禁烟委员。他布衣布履，下乡查烟，不贪不义之财。当时有个污吏夜送贿银百两于先生房中，他愤然没收缴公，即公之于众，并严肃查办。于是，他所到之处，百姓爱之如亲，而贪官污吏畏之如虎。由于先生相貌堂堂，学问渊博，而又为官廉洁，故人以"白面包公"称之。

1923年，李虎臣任国民二军一师师长，聘张布侯为秘书长。1925年李将军任陕西督军，他任督府署印秘书兼民政厅秘书长。是年，李将军进兵河南，留张代行督办事宜，不少亲友求他代谋一官半职。他说："官是民之奴仆，作官为了百姓，谁想跟我作官，先回家去卖两亩地再来！"那些想为官发财的人一听皆不欢而去。他公事公办，将政务理得井井有条。翌年，陕军兵败河南，李虎臣退守关中，豫西军阀率十万大军直逼长安。在大敌面前，布侯运筹帷幄，提出"与杨虎城联合坚守抗敌，至关键时刻并可五原求援于冯玉祥"的策略。在联军协力之下，遂解长安之围，受到军民的爱戴。事后，于右任曾对人说："李虎臣之用张布侯，犹汉高祖之得张良也！"康寄遥亦称张为"大贤"。

1927年，李虎臣出陕，张布侯隐居山西，宦囊枯竭，生活清贫，于右任每回陕西，必改道山西看望布侯。1930年，杨虎城主陕，任张为榆林县长。在任期间，他的一个亲属在下供职，接受了一个劣绅的贿赂五石麦钱，他得知后，当面加以痛斥，并没收赃款，令其解职回家。不久，布侯被军阀井岳秀革职，从此不复为官，在陕西各中学任教，间或发表些议论文章，切中时弊，但不受当局欢迎。晚年，回到家乡，以中医济世活人，不取分文报酬，至抗战胜利前夕病逝。

“租石捐”与“四倍加征”

冯树仁　陈鸿钧

巍峨秦岭，迢绕巴山，汉水横贯其间，形成汉中盆地。土地肥沃，气候温和，向称富饶之乡，是历史上兵家必争之地。

1921年5月，直系军阀阎相文督陕西后，皖系军阀陈树藩被逐，遂率部到汉中城固驻防。汉中道尹周源，为陈部筹措军需粮饷，曾议征“租石捐”。同年12月，直系军阀吴新田任陕南边防司令，率第七师驻汉中。陈树藩部被迫撤向四川。吴踞汉中后，军需粮秣摊派无度，田赋烟款等不能填其欲壑，即强令汉中所辖各县种植鸦片，规定每种一亩，征银十两。城固派种万余亩，征银十余万两，名曰“地亩变价”。同时规定少种一亩，罚大洋三十元，称为“地亩罚款”。据城固县志载：清康熙年间城固的田赋、地丁及各项杂课，年纳总数才二万一千两，而吴仅派烟款一项，就超过了康熙年间人民负担的五倍。

1923年，城固县长张庆韶，重议周源所倡的“租石捐”。小户主张按收租石数起捐，收租多者多摊负，收租少者少摊负；大户主张按粮银数起捐。两方意见僵持，县长难定。于是小户数十人到吴新田处请愿。县长张庆韶倾向小户意见，即

对大户收租情况进行调查,零星归一,分等累进计捐,从此城固开始实行了“租石捐”。该捐实行以后,损害大户利益,于是不少大户以献田兴学的手段逃免捐款,汉中城固学田之多,概源于此。至1929年“租石捐”的征收不能满足军需,强行改“租石捐”为“四倍加征”,即在原规定田赋数额的基础上,再加征四倍,相当于一年交纳五年的粮银,人人苦不堪言。

在此期间(1927—1929),汉中连续三年大旱,江河干涸,树木枯槁,赤地千里,民不聊生。据《旅平陕西汉中十二邑救灾会征信录》载:1927年秋收仅三成,1928年夏全无收获,饿殍载道。1929年旱象更加严重,颗粒未收,11月起,日死千余人。如此重灾,再加上如此苛税重赋,苛政如虎,世所罕见。

1930年,旅平陕西汉中十二邑救灾会多方努力,致电于右任、冯玉祥等政府要员和陕西省政府,为汉中救灾求援,恳请省府取消“四倍加征”及一切苛捐杂税。是年11月28日经省务会议讨论通过取消“四倍加征”,刊载命令于《大公报》,省主席杨虎城还于12月26日以代电复旅平陕西汉中十二邑救灾会。“租石捐”、“四倍加征”等苛税至此结束。

既“焚”且“休”

纪国庆

郑庠，字思诚，定边县砖井堡蔡渠人，幼年习武。官绅富豪说他泼皮无赖，而贫民百姓则赞扬他主持公道，好打抱不平。林有余来定边任知县时，郑庠到县署警告他不得贪赃枉法。宣统三年(1911)正月，林知县借郑庠与他人财产纠纷事，捉拿问罪。郑庠一上大堂，见林知县脚下放个取暖火盆，便说：“林下有火，大人怕要有火灾。”林知县一拍惊堂木，站起来说：“今天叫你也认识认识我。”郑庠嘿嘿一笑：“大人对木而立，是一休字，如此看来，岂止火灾，怕要完了性命！”林知县大怒，多次将其严刑拷打。后郑庠贿通看守，越狱逃到西安，参加了辛亥起义。旋受陕西军政府委任为三边统领，返回定边。他组织当地哥老会，于是年十一月起义，火烧林有余住室，推翻了清朝在定边的统治。林有余果然遭到了既“焚”且“休”的结果。

昭陵六骏拓片创制人

张培礼

曾经风行一时、流传全国各大城市的唐太宗昭陵六骏拓片，是谁创制的呢?1965 年我在长安县工作时，找到了答案。据 1958 年《长安县志》资料记载：“李月溪，清末陕西长安人。生员出身，精于绘画。唐昭陵六骏的拓片，就是他创制的。因六骏镌刻深浅悬殊，难施毡蜡，他就仿椎拓钟鼎器的方法，变立体为平面，用油纸规其外，节节椎拓。拓成后，与真形无异，且能任意缩小，可谓当时奇技。”为此事，我曾经请教余海丰先生(曾任长安县副县长，广识博学)，他亦确认为是。

康有为旅陕留下的一块诗碑

荆重敏

清末民初，南院门五味什字街中段建起一座精致典雅的中州会馆。门楼高耸，鸱吻飞檐，一条青砖铺墁的通道直达二门。东为客房偏院，中有戏楼，向西过一月形洞门是一个小巧玲珑的花园，亭台错落，假山叠翠，小桥流水，幽静宜人。当年不少莅陕任职达官显宦曾将它作为别墅或宴宾客舍。

抗日战争前夕，河南省旅陕同乡会在这里先后办起了中州小学、西北中学。为适应教学活动的需要，几经拆建翻修，往日古香古色的建筑风貌也改建得面目全非，无可追寻了。50年代初，在翻修戏楼时，工人们从墙基处挖出一块石碑，高约74厘米，宽约152厘米，左上角略有缺损，但对碑文影响不大。

这是一块诗碑，自右而左竖排镌刻七言律诗一首，诗后附有小记。诗文曰：

可因多月泉石娱，适馆将军礼数殊。
屋筑黄金惭国土，曲歌白雪愧鸿儒。
回廊步月桥通水，广坐宴宾尊酌衢。
竹里行厨花下马，应留佳话好贤图。

雪雅上将督陕招游。自九月至十

一月居中州会馆可园多月，适馆授餐行别。

□海康有为

碑刻字体灵活多变,行草互现,笔力遒劲古拙,颇见功力。署名“海”之上缺损,当为一“南”字,因为康氏系广东省南海县银塘乡人氏。署名下镌刻阴文印章一枚。

此碑当系康有为于1924年应陕督刘镇华之邀,莅陕游历、讲学时之酬酢之作。发现后由当时西北中学校长荆以化及教导主任陈怀孝设法妥为保管,后由西安市文管所征集,现收藏于小雁塔寺院内,有拓片出售。

刘晖为朝廷“罪人”撰墓志

祁恒文

陕西省博物馆现存光绪朝军机大臣赵舒翘墓志一通。该墓志由清末长安举人、著名书画家刘晖撰文并书丹。

刘晖,字元宾,号春谷,世居长安。他和赵舒翘既是同乡,又是同学,都曾是陕西宏道书院的高才生,自幼以学问、气节相砥砺。刘晖出身寒门,一生崇尚清白节俭,宏道书院为他下了“刘生虽贫,气节士也”的评语,康有为曾书联赞他“坚姿能自守,素履长不渝”。刘晖酷爱书画艺术,早年便与翰墨丹青结缘,经历短暂的仕宦生涯后,潜心钻研金石书画,以文章、道德、艺术闻名于当时。

赵舒翘举业入仕后,因谙熟律令,执法公平,颇得朝廷器重,官至刑部尚书、军机大臣兼顺天府府尹。光绪二十六年(1900)八国联军入侵北京,慈禧太后命赵舒翘往各国使馆"通殷勤,为议款计",赵以"臣望浅"婉言拒绝,后遂扈从西太后逃至西安。辛丑议和,侵略军要求惩办"罪魁",赵舒翘亦名列其中。在联军的威逼下,慈禧太后惟命是从,先将赵革职,改为斩监候,继而又将他赐死,令其自尽。西安士民闻讯,集数百人为赵舒翘请命,终不能免。

光绪二十七年(1901)正月初六赵舒翘大难临头,他临死前对西太后怀抱的一线希望,在严酷的现实面前化作泡影。在新任陕西巡抚岑春煊为首的监刑官吏的威逼下,赵无可奈何只得流着泪水将一颗致命的金子吞下。然而体格健壮、身材魁梧的赵舒翘似乎有克化真金的特殊本事,几阵呕吐过后,依然安然无恙。吞金不死,又改服鸩酒(毒酒),然服毒又不能致死。赵舒翘在生死关头与死神抗争的惊人毅力,使监刑官吏大惊失色,他们为按时向主子交差,又一再进行威逼,赵为使自己少受折磨,主动示意家人以黄表纸浸蘸烧酒,层层捂住他的"七窍"……将近黄昏气闷而死,年仅五十四岁。赵自尽时,上有九十余岁的高堂老母,下有妻室子女,一人遭祸,殃及全家,其妻痛不欲生,遂吞毒而死。

赵舒翘赐死长安，震惊乡里。刘晖冒杀身之险，仗义执言，为朝廷“罪人”撰书墓志，称赵“执法平允，不为势力少夺，其出仕外官仁慈廉慎，僚属不敢干以私。及入政府，猝遭时变，赍志以殁”。刘晖以简明朴实的语言对赵的一生作了公正述评，对他死于非命深表痛惜。这通墓志为后世留下了弥足珍贵的史料。

“三 绝 碑”

张 泊

张季鸾，陕西榆林人，现代著名报人，其主持下的《大公报》是旧中国最有影响的报纸之一。其父张楚林，清光绪年间进士，曾先后在山东汶上、曲阜、邹平、宁阳等县任知县。1900年病殁于济南。1903年母王氏携少年张季鸾扶棺归榆林故乡安葬。

1934年8月，张季鸾回榆林探亲，在东山戴兴寺为其父举行了百年寿辰祭奠仪式，并在城南其父墓前立碑一通。此碑由著名学者章太炎撰文，由国民党元老、著名书法家于右任书丹，由苏州著名刻坊集宝斋名匠镌刻，当时号称“三绝碑”。此碑建国后由榆林县政协保存，但在十年动乱中佚失。

1985年夏，一友人来找我，说原军分区招待所发现石碑一通。我立即前往，果见铁青色石料碑一块，石质细腻光润而坚硬，高四尺，广二尺。拂去泥尘，见行草十八行，共二百八十五字。因长期铺在院内遭风雨剥蚀和人为破坏，漫漶不可识者甚多，并缺一角，殆失约七十余字(现此碑残片存榆林红石峡文管处)。

其碑书法用笔遒劲，结构谨严，合乎法度而又奔放流畅，显出宽密并用之妙，深及魏书笔意，颇具古雅之趣，足以窥见于右任先生盛年书法之风采。碑文中谈及榆林近代史中多处史实，可以补充地方志书之不足。

冯玉祥在临潼的几件遗物

张肯堂

民国时期，冯玉祥将军曾几度驻军临潼，在临潼留下了几块碑石和手迹。

《辛亥革命歌》诗石，共两方，现镶于华清池五间厅前西廊壁上，为冯玉祥所书，计十二行，六十四字，题为《革命歌》。歌曰：

> 痛政治之腐败兮，执曹而败吴。恐帝制之复活兮，决将溥仪驱。四万万五千万挣断铁锁链兮，决心牺牲。解除重层压迫兮，取消不平等。何为成败利钝兮，掉头不顾。

《廉政碑》，1982年在临潼县相桥区工委院

内，发现1927年冯玉祥所书的一块碑石，现藏县博物馆。文曰：

我们一定要把贪官污吏、土豪劣绅扫除净尽，我们誓为人民建设极清廉的政府。我们为人民除水患、兴水利、修道路、种木树及做种种有益的事。我们要使人人均有受教育、读书识字的机会，我们训练军队的标准是为人民谋利益，我们的军队是人民的武力。

《给张学良题词》。1984年，在原冯玉祥交际副官田殿卿处发现冯玉祥于1941年4月17日给张学良写的一个条幅，上有印记。长约80厘米，宽约30厘米，其题词为：

要小心，要谨慎，学吃亏，学让人。遇事能忍，生活勤俭。不自夸，不骗人，诚诚实实，厚厚钝钝，乃是根本。

这个题词很委婉，似乎是冯玉祥为使张学良始终保持清醒而特意写这段话的。语中暗示其处事应从大处着眼，勿计小节，静以待时，充满了对张学良爱护与关心之情。

千唐志斋藏石与张钫

张鸣铎

张钫，字伯英，河南新安县人，早年毕业于

保定速成军校。在陕西新军任统领,参与辛亥革命,后任陕西靖国军副总司令,和于右任、章炳麟、李根源等人过从甚密。张钫生前酷爱金石书画,于1931年开始搜集唐代墓志,经过五年的努力,终于购得一千余件,藏在他的家乡铁门镇。这是一座具有豫西地方特色的砖圈窑院,内有三个长方形的天井院。在窑洞的墙壁上,整齐地排列嵌镶着许多古墓志,其中以唐代墓志最多,这就是著名的千唐志斋藏石所在地,被河南省列为重点保护文物。

1935年,郭玉堂编辑《千唐志斋藏石拓片目录》一书,收入一千一百四十七件,后续一百五十三件,西安程仲皋增补一百零二件。解放后,陕西师范大学图书馆从程氏处购得此书拓片,又增补了一部分。1980年4月,对拓片进行校对勘误,著录编目,共整理墓志一千四百六十二件,其中唐代墓志为一千二百九十四件。

古代墓志,志用散文,铭用韵文,多为溢美之词,是比较珍贵的原始史料,可以弥补正史的不足。其中不少墓志,书法优美,还是研究唐代书法艺术的模本。

榆林易马城与关帝庙的互市

史书博

从塞上名胜红石峡天门上山，有一方形小城遗址，它就是明时蒙古人与汉人在榆林开始互市的红山市堡,嘉靖四十三年(1564)增修城堡后,改称易马城。至今已有四百多年的历史。

据老边商谈,清乾隆初年,易马城没有房子住,参加互市的榆林边商,搭帐篷住宿交易,遇到大风大雨,不是帐篷被吹倒,就是雨水流进帐篷,不但人没处躲避,货物也常受损失。为了解决这个困难,由三十六家边商代表倡议,一千多户边商支持，共同捐款，在易马城与镇北台之间，修建了一处关帝庙，由三十六家边商轮流值会，每年农历五月十三日为庙会，演戏聚众。蒙古人带着他们的牲畜、皮毛，边客带着绸缎、布匹、烟、茶、酒等来关帝庙看戏，赶会互市。这里不但能避风雨，而且茶水方便，蒙人只带些酥油、熟米即可。易马城的互市便被关帝庙会代替了。

关帝庙的互市，后来发展成每年的正、二、五、七、九、十月的十三至十八日骡马大会，解放后，改为常设的牲畜交易所。

我幼时，每年五月十三日，常去红山关帝庙看戏。会场上的牲畜、摊贩、外地来榆林买牲畜的客商、牙纪和游客很多，交易兴旺，非常热闹。

"文革"中被破坏的关帝庙，现已恢复。庙中有一石碑，是清同治年间伊克昭盟盟长巴旦尔呼立的。碑曰："戊辰冬，甘回突窜，寇掠无算，与战则远飏，兵退则旋至，阖闾转徙，几不聊生。次年秋福堂军门追贼于边墙外，函致余，余率师迎之于五都彩堂，遂定议会哨，外地有警，军门不辞劳瘁，星夜来援，内地有警，余亦如之……现四境肃清，军门约余奏凯榆林……。"

从以上事实看，关帝庙的互市比易马城的互市时间还长，而且有蒙汉联防的历史，对促进蒙、汉贸易，发展两地经济，加强两族人民的团结，都曾起过重要的作用。

神木——铜器之乡

高　峰

神木县是陕北著名的铜器产地。据考证，这里的铜器生产始于明末，其技艺源自山西大同，迄今已有三百余年历史。此地蒙汉人民交往极盛，蒙古族对铜器的偏爱刺激了这项手工业的发展，在清末和民国初年达到鼎盛时期。王贵田、折掌文等祖传铜匠，技艺高超，名冠一方。所产锅、壶、瓢、盆、盘、勺、铲、汆壶、笊篱、火锅等炊具，香炉、香筒、烛台、钟、磬、铃等礼器，马蹬、铜镜等鞍具，铜锁、四件、搭扣、灯壶、灯座等日用品，做工精细、经久耐用，且具有一定工艺价值。所以，神木铜器在陕北、内蒙古、宁夏、甘肃、晋西北享有盛誉，十分畅销。其间神木铜匠有赴榆林、定边等地谋生者，遂使技艺传至彼处；亦有慕名请神木铜匠登门献艺的。民国初年，内蒙古杭锦旗修葺乌鸡庙，一切齐备，只有铜塔顶及其基座，请遍附近铜匠，竟无一人会造，最后请神木铜匠前往铸成。

解放后，神木铜器生产有了新的发展。目前，工人较解放初期增加两倍多，生产改为半机械化作业，工艺水平有相当提高。1980 年产量达六万九千八百件，产品品种达二十二种。传统的

礼器、灯具已停产，增加了糖锅、酒锅、灌角、柿子壶等新品种。铜器已正式列为当地主要轻工产品。

“谁有?谁有?”“谁要?谁要?”

江弘基

1948年，南京国民党政府为挽救其全面崩溃的经济形势，于8月19日开始发行金圆券，以代替因无限贬值、等于废纸的“法币”。规定金圆券一元折合“法币”三百万元，二元折合银元一元。一开始，这种新币还能为群众所接受。不久，因发行额猛增（不到十个月增加六十五万倍），物价飞涨，金圆券也落了个和“法币”同样悲惨的下场。人民群众宁愿要笨重的银元、铜板，也不愿使用金圆券和以后发行的银元券了。

于是，从1949年春天开始，西安西大街、鼓楼什字、竹笆市一带，沿街人行道上，便出现了一种特殊的行业——买卖银元的摊贩。他们摆一张木桌，上面成行地平放或摞着若干铜元(铜板)，再罩上一个铁丝笼子。银元呢，则握在手掌里，弄得丁丁当当的响，口里喊着：“谁有?谁有?”或“谁要?谁要?”这种钱摊，一家挨一家，数不清有多少；有时，摊贩们还手里拿着当当响的银元，小跑着在街道两边喊，构成解放前夕西安

特殊的街景和特殊的市声。

那么，一个银元可以换多少铜板？早晚市价是不同的。钱贩子靠什么牟取暴利呢？靠的就是银元与铜板的比值不断的变动。当银元看涨的时候，他们就扯破嗓子地喊："谁有？谁有？""谁有"者，就是"我要"、"我买"的意思。当行情看跌的时候，他们又会连颠带跑地喊："谁要？谁要？""谁要"者，"我有"、"我卖"之意也。这些语言既简明又隐晦，使初到西安的人根本不知道他们在干什么。但行家自然是懂得的。而行家的同行们（钱贩子们），也就在这一出一入之间大发横财！

但是，行家们之间也是谲诈百出的。他们有时喊"谁有？谁有？"并不是他们真心要买，而是在制造一种声势，仿佛银元就要涨价了。等到不少同行都为假象所迷惑，不肯出手时，他们就以有利的价格大量抛出，变成个实际的"谁要？谁要？"者。反之亦然。

这些钱贩子在其大小后台的操纵指使下，对当时西安的金融、物价、社会、人心，起了推波助澜的破坏和扰乱作用，使人民群众吃了很大苦头；但同时，他们也加速了蒋家王朝的最后覆灭。

话说“皮毛之路”

李永清

举世闻名的“丝绸之路”，以古长安为起点，横贯亚洲，沟通了欧亚之间的经济贸易，促进了文化交流，历史功绩不可磨灭。在陕北榆林，还有一条沟通蒙汉经济和文化，事实上存在的“皮毛之路”。它不仅推动蒙汉生产力发展，还在民族团结上起了纽带作用。

这里所讲的“皮毛之路”，是由内蒙古南部到陕北榆林，经由晋、冀，以至(天)津、塘(沽)，畜产品便由此路线运销海外。

榆林北部与内蒙鄂尔多斯草原接壤，是一个广阔的天然牧场，“畜牧为天下饶”。汉武帝时，全国六大御马场之一的“天封苑”，即设在榆林金鸡滩一带。明嘉靖年间在长城沿线开市十一处。清杨蕴《镇北台春望》有句：“关门直向大荒开，日日牛羊作市来。”可见当时蒙汉贸易之繁荣。康熙以后，以榆林为中心，每年举办六次骡马大会。会上有来自内蒙、宁夏、甘肃和晋、豫、关中诸省区的商旅，交易牲畜、皮毛、棉布、百货、粮食、手工业品等。会上伴有戏曲杂耍，或赛马助兴，热闹非凡。抗日战争前，每年上市的大牲畜中，马约二万多匹，骡八千多头，牛二万

多头，驴三千多头，骆驼二千多峰，羊毛约二百多万斤，羊绒五十多万斤，驼毛十余万斤，皮张百万张以上，羊只二十多万只。

蒙汉之间的常年贸易往来，主要通过边商进行。解放前，榆林全县边商最多达一千五百多家，其中有四百多家在蒙地拥有牧场。长途运输工具主要是骆驼，最多时曾达二万多峰，专门有驼行管理运输事务。经营皮毛加工业的皮坊多达七十余家，挽具坊二十多家，鞋铺十多家，毡、毯坊各三十多家，口袋业十多家，毛织业三十多家。

榆林毛纺业有悠久历史，西汉龟兹人民已可用羊毛加工制作氍毹、细毡等，到宋代，此地属西夏，个体手工业者可以织造氆氇、毛褐、毡、毯等。及至近代，因采用机器操作，工艺日趋精密，榆林的毛纺织业一日千里，发展迅速。喜看“皮毛之路”的起点榆林，它将以其丰富的皮毛资源为依托，成为一颗璀璨的塞上明珠，辉耀中外。

中国大陆第一口油井

张晓莉

中国幅员辽阔,物产丰富,西方新兴的资产阶级对东方的这块富饶的乐土早已虎视眈眈,伺机掠夺。近代以来帝国主义用洋枪、洋炮打开中国南大门以后,就对中国进行肆无忌惮的掠夺,对于荒凉的陕北高原亦未放过。

1895年,就有德国人对陕北进行所谓石油调查。1903年,德国人汉纳根察知陕北延长石油开采情况后,在天津与德国领事及德商世昌洋行密谋掠夺。最终因陕西人民保护石油资源的坚决斗争,阴谋未能得逞。

1904年,延长县候补知县洪演为“延长石油官厂”的总办,他拨地方官款来经营开发石油。据史料记载:当时人工挖采的石油,色如“漆”,状若“水腻浮水上”,味“臭”,“可疗驼马羊牛疥癣”,“性可燃”,“极明有泪如石蜡而烟浓”,“能熏污帷幕衣服”。由于没有鉴定石油质量的专门人才,洪演只好带原油十公斤到汉口,求日本化学博士稻井幸吉及其门徒阿部治郎予以化验。后又取延长县城西门、东门、南门外三口井中的石油进行鉴定,结果这些原油的质量都“胜于东洋,能敌美产”。

对于如此优质的石油,仅靠人工开采岂不可惜?于是只好又求于日本人,用高薪聘请技师佐藤弥市郎、技手田中久造、阪垣仓吉、刀泽弥三郎、田内启作和铁工原林时太郎、木工赤川寅吉。技师佐藤弥市郎本是个“于化合之理,尚未甚精”的人。他“既无炼油之责任,又毫无改良之方法”,却在技术上严格保守,节骨眼上还故意刁难。

在购买钻采机器时,日本人又极尽敲诈勒索之能事,胡说什么“陕西省木质不坚”,硬是要从日本国运来“一钉一木”,“皆取材外邦”。

陕西人民受尽屈辱和剥削,才在1907年2月在延长县西门外(今西桥小学院内)勘定井位,4月安装橹台机器,6月5日用标准钻头开始钻井,至9月6日,钻至井深68.89米处见油,每日可产原油150至200公斤。9月10日钻至81米处完井，初日产量1000公斤至1500公斤，十年后日产量仍保持1250公斤，以后逐渐减少，到1934年停产，总计产原油2550吨。

一号井出油后，用小铜釜试验加工，每日可得灯油12.5公斤，送去西安检验，烟微光白，可同进口石油媲美，乃建炼油房投产。这才引起了全国人民的注意。

延长石油官厂的成立和大陆第一口油井的投产，结束了中国大陆上不产石油的历史，填补了中国民族工业的一项空白，在中国石油发展史上起了先驱作用。但从中也可看到我国早期民族工业发展的艰难与辛酸。

孙富岭为慈禧开汽车

沈堂印

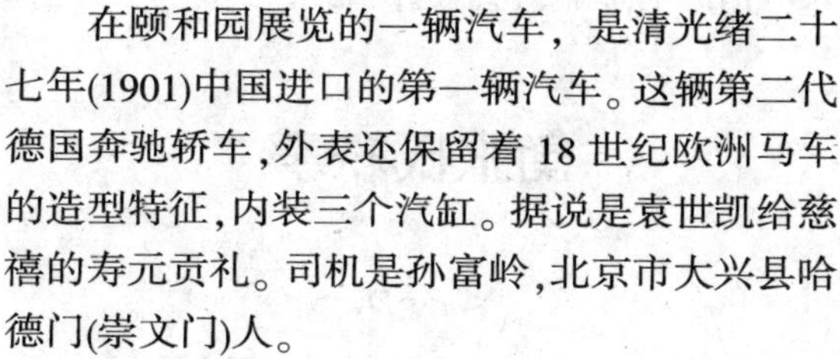

在颐和园展览的一辆汽车，是清光绪二十七年(1901)中国进口的第一辆汽车。这辆第二代德国奔驰轿车，外表还保留着18世纪欧洲马车的造型特征，内装三个汽缸。据说是袁世凯给慈禧的寿元贡礼。司机是孙富岭，北京市大兴县哈德门(崇文门)人。

孙富岭原本是给皇亲贵族赶马拉轿车的，只因聪颖好学，能随机应变，好摆弄新鲜玩艺，见啥会啥，长得又魁梧英俊。慈禧太后有了这辆汽车后，王公大臣纷纷推荐司机，孙富岭在应征的十一人当中，被慈禧选中了。孙富岭照图揣摩，很快掌握了方向盘。

有一批忠于慈禧的奴才，联名上奏章说：“伏念中国自尧舜以来，历朝帝王，未闻有轻以万乘之尊，托之于彼风驰电闪之汽车者……。”这些依靠慈禧享受高官厚禄的王公大臣，生怕翻车送了慈禧的性命。可是慈禧一心要坐洋汽车兜风为乐，先是在皇宫乘车兜圈子，后来把车开进颐和园欣赏名园景色。慈禧坐了几天汽车之后，忽然想到，她的地位，至高无上，率土之滨，莫不跪拜于她的石榴裙下，眼前开车的一个奴才，竟然傲然的坐在她的前面，成何体统？一天，宫女扶她上了汽车，便下诏谕：“小孙子！你知道你是给谁开车吗？你得跪着开车！”孙富岭立即双膝下跪，但他的手不能代替脚踩油门换档，吓得出了满头汗水，跪奏慈禧：“老佛爷！车子坏了！”从此，这辆汽车就闲置于颐和园。孙富岭一家惧怕慈禧降罪，仓皇逃出北京。

衡张氏轶事

王兴元

陕西城固县上元观集镇上，过去有一位很有名望的寡妇，为衡张氏(当地人称“衡寡母”)，她是慈禧太后的义女。

衡张氏，自幼生长在一大户人家里。长得十分美貌。夫家也很富有，在汉中、城固、西安都设有店铺，在当地更拥有好几个村庄的房屋财产，并有良田数千亩。她是衡家大少爷的第七个小老婆。后因家族纠纷，家庭破裂，家势衰败。丈夫死后，衡张氏因没有亲生儿子，同大老婆生的儿子争夺家产，以致告官。封建社会重男轻女，只有男子继承祖业，哪有女子说话的权利。况且衡张氏出身大家闺秀，嫁给衡家，身为小妾，丈夫死了只能守寡终身，不能改姓再嫁。在封建礼教的约束面前，衡张氏输了官司，只有含冤离家，到外面乞讨求生。1900 年 8 月，八国联军攻陷北京，清政府和慈禧太后从北京撤到西安。衡张氏逢机在西安告御状，说明身世，并认识了当年权阉安德海的家属“安寡母”，拜为干妈。朝廷对衡张氏的境遇和坚贞守节深表同情，于是她不但打赢了官司，还被接收为侍女。后经“安寡母”介绍和引见，慈禧接见了衡张氏，并收封为“义女”，成为当地第一个告御状、打赢官司、攀上高亲的人。从此，再也没有人敢说衡张氏的坏话，欺侮她了。

直到 1912 年 2 月 12 日，清王朝末代皇帝宣统下诏退位后，衡张氏才从北京城返回家乡。1921 年冬月间，在中华民国临时政府成立十周年时，这位被慈禧太后收封为“义女”的衡张氏死了，临死还头戴凤冠，身穿霞帔，以示她对慈

禧的怀念和效忠，终年七十一岁。由于衡张氏没有亲生儿女，财产无人继承，后事无人料理，尸体在室内停放了三个多月，当地远近乡亲百姓都蜂涌前去看热闹。1922年初，湘军从湖北到四川时，路经陕南城固上元观，才将衡张氏尸体收殓安埋在上元观镇以西五华里的刘家堰。

三边有“四宝”

张　泊

三边，指的是陕西西北部的定边、安边、靖边。此地东北与毛乌素沙海接壤，西南为丘陵山壑，地旷人稀，荒凉贫瘠。清末民初，兵荒马乱，匪患天灾，官府盘剥，相继为害，百姓的生活极端贫困。为了生存，当地老百姓以所谓“四宝”聊作活命之宝。

苦菜济贫：终年无温饱，春荒尤甚，以田野的苦菜为食，苟且偷生。

登粟疗饥：边墙外沙漠中野生沙蒿结籽，味苦涩，称“登粟”，秋季采集，以备饥荒。

水窖贮饮：南部山区水奇缺，地下水深数十丈，无法打井。故家家备有水窖，以夏雨冬雪贮存。虽水质污秽，舍此无可为饮。若遇久旱，则出山逃水荒者比比皆是。

煨炕御寒：三边无煤，柴也奇缺，冬季以晒

干的牛、马、羊粪燃煨土炕取暖。煨时恶臭满屋。举火做饭，也用干粪。

于是，苦菜、登粟、窖水、干牛粪，被称为“三边四宝”。

佛 诀

陈起舜

民国年间，南郑县濂河两岸的农妇中间流行着一种民歌，叫《佛诀》。此诀每句七字，有韵脚，类似顺口溜。只是二句后要呼“弥陀佛”；四句后要呼“阿弥陀佛”。内容即兴编定，多以劝善、诉苦为主。唱者声悠悠，听者情切切，颇有吸引力。兹录两首如下：

> 劝君莫进赌博场，十人赌博九人光，弥陀佛。
>
> 自从嫁到黑煞家，眼泪泡饭又当茶，弥陀佛；男人有气打婆娘，婆娘有气男人打，阿弥陀佛。

谈“虎”变色，惨景犹新

张培礼

民国十八年至二十年(1929–1931)，关中地区虎烈拉(霍乱)瘟疫成灾。时过六十年，一些活着的老人回忆起来仍感惨景犹新，谈“虎”变色。

据关中各种资料记载，死者发病时之症状和时间，大多在夏季的六、七、八三个月，患者大便一二次之后，两眼无光，或上吐下泻，腹痛抽筋。有的顷刻即死，有的朝发夕死。有的全村、全家人都死光了!陇县六至八月，发生虎烈拉，死二万余人。礼泉县七月中旬，十日内时疫盛行，死五千余人。户县八月初，虎疫自秦渡镇开始，旬日蔓延全县，县城绝户之家，亦复不少。仅八月死五千余人。大荔县六月上旬瘟疫大作，城内军民死者达数千人，而乡间死亡人数更多。七月，蓝田死于瘟疫者有五千余人。据曾经亲身经历这一时疫的老人、原长安县副县长余海丰说："当时，闹得人人自危，户户村村不敢互相往来。一日之内，一村死十人至数十人，觅棺不得，席卷以埋者甚多！"长安县西乾河村一位郭姓老人说，他当时在西安城内西大街当店员，市民议论纷纷，正值蒋、阎、冯中原大战，官府哪有人关心死于瘟疫的老百姓?! 瘟疫之后，关中饿殍载道，哀鸿遍野，中外虽有义赈，但杯水车薪，又怎能度过如此灾年!今关中老人，一谈到虎烈拉流行，莫不悲叹不已，深感今天生活的幸福。

宁羌红灯教

宋文富

1917年，四川督军刘存厚败逃入陕，就食宁羌，兵、款、粮、伕，陷民于水火之中。次年，红灯教首领张真仙自川北来县境，在南屏山圣寿寺练法传教，声言能刀枪不入。穷苦农民踊跃参加，红灯教势力很快扩展到巴山、城关、大安一带，形成茅坪沟、宽川、白岩河三个据点。教徒成立"汉邑保安军"，明确提出"抗捐抗粮，杀官杀

绅，驱逐川军，保境安民”的口号。1919年，张真仙率教兵在照壁山设伏歼川军一个连，瓮山沟一仗又打垮川军一个营。川军胆寒，龟缩县城。红灯教声威大震。

1920年，红灯教败川军和民团于胡家坝和铁锁关一带。农历八月二十一日深夜，宽川红灯教首领杨科、杨恺率领三百余人袭击宽川街，杀死二十六人，烧房近百间。农历九月，宽川、巩家河、东皇沟、南沙河的教徒数百人袭击大安驻军。他们的口号是“先杀葫芦瓜(指当兵的)，后杀一把抓(指留短发的公务人员)，长辫子是我们的亲二大(指老百姓)。”无奈神咒法术、大刀长矛，难抗洋枪洋炮，教徒死伤累累，惨败溃逃。是年农历十一月初七日，在县城玉带河滩斩决红灯教徒十一人。次年，汉中警备司令管金聚和宁羌县知事俞钧，抚剿兼施，合力镇压，红灯教活动的经堂寺观被焚毁，首领多遭杀害，张真仙潜踪。

临潼衙门朝北开

李俊民

“天下衙门朝南开，有理没钱莫进来。”这是流传了千百年的民谚，可是陕西临潼县的衙门却是朝北开的。

临潼县城，自宋以来建于骊山脚下，地形南高北低，城门、县署门俱南向，每遇山洪暴发，衙门必遭水患，房塌物损，官愁民怨。清光绪三年(1877) 会稽进士沈家桢调任临潼知县，时值年荒，关中赤地千里，百姓叫苦连天。沈家桢召集县内段蕴山、张星垣等五位名绅商议设局赈灾，由县、乡大绅带头义捐，动员富户捐借粮食、钱财。全县设民间义仓五处，共集赈粮三万九千石，时折银四十万两，其中借商民屯粮五千四百石，富户捐粮一千八百石，捐银三万九千九百两，救济饥民七万余人，赤贫重灾者四千余人，不仅使全县百姓无一村一户流亡，无一人饿死，还以粮食三千石接济蒲城、二千石接济韩城，两县官民无不感激涕零。

在赈灾的同时，沈家桢还采取以工代赈的办法翻修了县衙。他为使县衙免受山洪冲击，不顾部分乡绅的无理阻拦和诬陷，改县署为座南向北，形成临潼县衙南依骊山、北襟渭水的雄伟气派。从此，临潼衙门就朝北开了。

沈家桢于光绪五年(1879)升迁凤翔知府，后调吏部。为表彰临潼赈灾乐善之事，沈家桢曾修"乐善亭"，竖"乐善亭碑"一通，亲撰碑文，由大书法家贺瑞林书丹，其碑现存华清池。另有《重建临潼县衙署》碑，现藏临潼县博物馆。二碑皆流芳至今。

宁羌改名

宋文富

宁强原名宁羌县，是沿用旧宁羌卫和宁羌州之名，“其曰宁羌，盖亦辑宁羌、氐之义，欲羌氐永宁耳”。民国二十九年(1940)由当时宁羌县长刘法钰倡议，地方人士赞同，拟更宁羌县名为“宁强”或“汉宁”、“嶓冢”、“嘉陵”等，具文呈请审批。国民政府核准改为“宁强县”，于民国三十年(1941)下半年行文下达，并随文颁发新县印一枚，准于从民国三十一年(1942)元旦启用新县名。当时宁强各界纷纷写诗著文加以赞颂，宁强出版的《汉源报》编印了《宁羌改名宁强纪念特刊》，其中有一首七律《宁强怀古》这样写道：

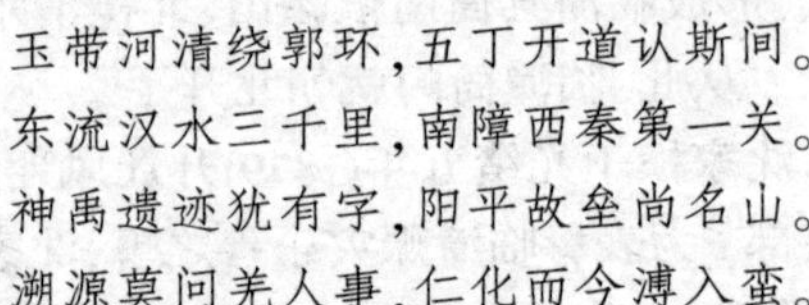
玉带河清绕郭环，五丁开道认斯间。
东流汉水三千里，南障西秦第一关。
神禹遗迹犹有字，阳平故垒尚名山。
溯源莫问羌人事，仁化而今溥入蛮。

在启用新县名的前夕(民国三十年十二月)，监察院院长于右任赴重庆途中，下榻宁强，挥毫书写“安宁强固”匾额一面，书毕郑重地说道：“此亦可作为新县名之解释吧！”

清末两个"斩监候"

江弘基　段国超

"斩监候"，就是判为死刑，收监候斩的意思。但是,如果不仔细阅读或书写,而把"候"字作"侯",即会引起误解,以为在古代五等爵位(公侯伯子男)的侯爵里面,还有什么"斩监侯"。如果如此,那就成了笑话。

在清末许多"斩监候"里,同治末年的杨乃武和光绪年间的周福清的事迹都有很大的传奇性,值得一写。

杨乃武以举人身份,惨遭冤狱,因"通奸谋命"罪,被杭州知府陈鲁判为"斩监候"。在狱三年,最后只是由于慈禧太后的过问,才得出狱,返回原籍余杭,终老牖下。

周福清是鲁迅的祖父,即鲁迅作品里所说的"介孚公"。他一生,以举业为重,认为走科举成名的路,才是读书人的正道。他由秀才而举人,而进士,并被钦定为翰林院庶吉士,可谓春风得意。然而,仕途险恶,他在翰林院不久,因散馆考试成绩欠佳,放为江西金溪县知县。在知县任内,又因与江西巡抚李文敏(陕西西乡人)不和,被两江总督沈葆桢参劾罢官。后到北京候补多年,才得一内阁中书之职,干点抄抄写写的小事。

光绪十九年（1893），周福清因母丧丁忧返里。翌年，适逢浙江乡试，正主考官殷如璋是他的老朋友。周福清受亲朋故旧章、马、陈、孙、顾五姓的撺掇，将一万两银子的钱庄银票封入信内，派人携信赶往苏州(殷如璋必经之地)求见正主考官，以期买通关节而让这五姓子弟高科得中。事被发觉，福清避祸上海，不久回绍兴自首。这就是所谓“周福清科场舞弊案”。它使鲁迅全家陷入倾家荡产的境地，对鲁迅以后的思想和创作有不容忽视的影响。

这“科场舞弊案”发生在苏州，即先由苏州审理。苏州知府王仁堪是曾在陕西作过巡抚的王庆云的孙子，他以周福清罪属“未遂”，且能投案自首，打算以“犯人素患怔忡”(精神不正常)，含糊了事。浙江巡抚崧骏亦奏请：“于斩罪上量减一等，拟杖一百，流放三千里。”谁知这时光绪正在准备“戊戌变法”，锐气正盛，碰上这样的案子，正好从严从重，以整顿朝纲，提高自己的威信，同时也给后(慈禧太后)党一个好看。于是批示：“周福清着改为斩监候，秋后处决，以肃法纪而儆效尤。”

福清在狱候斩达八年之久，终未斩决。后期且能得到较优厚的待遇，家人可以在狱中陪住。这和案发比他早二十余年的杨乃武相比，无论在肉体或精神上所遭受的折磨要轻得多了。

光绪二十四年(1898)，“百日维新”收场。帝后之争，以帝党的失败而告终。光绪皇帝被幽囚于瀛台，慈禧太后忙于镇压维新派，早把“斩监候”周福清忘却。福清乃得在老同年刑部尚书薛允升(陕西长安人)的救援下，获释出狱，死于故里，终年六十八岁，比杨乃武少活了六岁(杨死于民国三年，时年七十四岁)。

杨乃武笔舌两利。公堂受审时，不畏酷刑，慷慨陈辞；狱中诉冤时，以乃姊之背为几，奋笔疾书，黄榜顷刻而就。凡此种种，感人至深。周福清秉性刚直，恃才傲物，常骂慈禧为“昏太后”，光绪为“呆皇帝”，其“犯上”精神比杨乃武尤有过之。特别值得称道的是福清临终的遗言。他说：“人总是要死的，我年六十八，不算短寿，也可以了……办后事量力而为吧！总要为活人着想，丧事从简。”

安塞腰鼓

张文辉

第十一届亚运会开幕式上表演的“安塞腰鼓”,它历史悠久,原属于陕北秧歌的组成部分,被推崇为民艺之大观。

腰鼓的基本功和动作,是用彩绸将腰鼓系在腰间,双手握鼓箭(即鼓槌),有节奏地击鼓面,挥臂、弹跳、踢腿、转身、亮相,表演时由民间乐器伴奏,乐器有大鼓、大镲、唢呐等。腰鼓队的人数视情况而定,没有一定的数额,舞台上几人、十几人;小场子几十人,一二百人;大场合几百人,乃至千人以上。鼓队变换队形,花样繁多。

腰鼓兼有武术功能，鼓手能翻打鹞子，跌倒滚打。随着民间艺术的发展，现代腰鼓又将舞蹈动作移植其中，使内容更加丰富多采，刚柔相济，优美多姿。其风格特点可归为欢(欢快流畅)，洒(潇洒大方)、狂(热烈豪放)、猛(威猛粗犷)、刚(刚劲有力)五点。

安塞腰鼓主要有两种。一是路鼓，边打边行进，姿势有双手缠腰、跑跳步、十字步、倒踢腿、鸡啄食、单过街、双过街、飞八字、扭麻花等；另一种是场地鼓，在广场表演，表演前，由鼓手挥舞鼓槌，从围观的人群中开出场地，然后分队表演。有二人对打、四人十字对打、八人杂打及鹞子翻身、劈叉等动作。头路鼓手队形整齐，动作灵便，英姿飒爽。集体表演有卷白菜心，拜四方，蛇盘九颗蛋等。腰鼓表演后，由伞头领唱，鼓手即用腰鼓轻敲伴奏。一般唱词为四句，两句一停顿，由锣鼓加过门。四句唱完后，全体表演者齐声重复唱第四句，叫“接下音”。唱过几段后，又接着激烈猛打，直至欢乐高潮，胜利结束。

灯 游 会

高 峰

正月十五元宵节，在古城神木最吸引人的活动是灯游会。

灯游会又称转九曲，是根据神话传说中的“九曲黄河阵”布置的迷宫式游戏。相传“九曲黄河阵”是《封神榜》中三仙岛的三位娘娘为报杀兄之仇而设计的。此阵九曲连环，复杂多变，多少玉虚门人都不能破它。后世为纪念尧、舜、禹三皇和三位娘娘，便在元宵之夜，以灯代兵，布阵游戏。其法是：先将三百六十一杆彩旗等距离排成横竖均为十九行的正方形，上悬彩灯，下布火塔，再用布幔或绳索隔成九曲连环之形，留两处岔道以迷游人；门首搭彩楼供三皇之位，阵中央彩楼供三位娘娘之位。游人入阵须小心辨路方能顺利通过出口，否则误入岔道，不是返至原路出不了阵，便是抄近路出阵，还得重来。

这项古老的智力游戏，给人以神秘、热烈之感，很吸引人。在神木，灯游会自正月十三开幕，到十六终止，每日游人数以万计。夜幕降临，灯火辉煌，鼓乐喧天，香烟袅袅，爆竹声声，游人如织，扶老携幼，欢声笑语，不绝于耳。如此景况，令人油然而生“火树银花不夜天，万方乐奏有于阗”的感慨。但同许多民间活动一样，灯游会也具有一定的迷信色彩。有人以能否通过九曲，预测一年是否百事通顺，还有人向阵彩灯求儿女，偷得红灯生男，偷得绿灯生女。不过今年偷一盏，来年需还灯两盏。

葫芦头

刘崇正　张福英

西安著名风味小吃葫芦头，是由唐代“杂羔”、“煎白肠”演变而来的。它以猪肠子为主料，配以白肉、肚子、鸡肉、骨头和调味品，熬制成汤汁。用这种汤汁把粉碎的烙馍反复冒热，使汤味浸入馍内，叫葫芦头泡馍。其味有麻辣味重和清淡爽口两种。形、色、香、味俱全，肉肥而不腥，汤肥而不腻，味道十分鲜美，老少皆宜。

相传唐代著名药圣孙思邈到长安一小饭店吃杂羔，发现汤的味腥、油腻，很难入口，便问店主，知道是制作不得法。他把自己烹制肠肚的经验告诉店主，还送给一个药葫芦。店主按照其传授的方法，先后通过十二道手续处理肠肚，又从药葫芦里倒出花椒、大料、桂皮、小茴香等调味品入锅烹制，顿时杂羔香气四溢，汤鲜味美。从此，这家小店顾客盈门，生意兴隆。店主为了感谢药圣孙思邈的指点，便将药葫芦高悬门首，把杂羔改为葫芦头，流传至今。另有两种说法：一是因为猪的大肠头形似葫芦把，故得名；二是因为肠子煮熟后变形，弯曲得像葫芦，所以叫葫芦头。

据史料记载，本世纪 30 年代，西安何乐以

经营“春发生”葫芦头泡馍馆而名噪一时。该馆用唐代诗人杜甫《春夜喜雨》中的“好雨知时节，当春乃发生”而起名，很是风雅。有的泡馍馆用料还配以海参、鱿鱼、海米等，这是对古代关中饮食文化的发展。

岐山挂面古今谈

张天麟　李慎行

岐山挂面质细、面白、性筋、耐煮，是陕西省一大特产。

清道光末年，山西稷山县马金定和马定娃两兄弟来岐山做“货郎担”生意。两三年后，租了县东大街的一间房屋，开设“顺天成”号店铺。取此号名，正合店门张贴的“顺情合理，天降百福，成功立业，号增大祥”的对联，表明弟兄俩审时度势、祥和立业的经商方略和创业精神。

“顺天成”店铺开张之初，就瞅准了挂面生意，从选料、加工到装潢、出售等十二道工序，都十分讲究，严格把关，形成了自己的独特风格，光绪时期，岐山挂面是进京的贡品。

相传慈禧太后很爱吃岐山挂面，常命御膳房做来吃。一次煮面的厨师因劳累而睡着了，醒来一看，锅里的水都快煮干了。厨师吓出了一身冷汗，急忙端下来，谁知捞出一看，竟然没煮烂一根。这个厨师专门托人买两丈红绫赠给“顺天成”店铺,酬谢岐山挂面的救命之恩。

民国初年，岐山挂面的声誉达到了鼎盛时期,“顺天成”店铺亦更名为“顺天成挂面局”。

1931 年,“顺天成”号参加了在美国旧金山举办的“万国博览会”,受到普遍欢迎。有诗赞曰：

挂面分细宽,好吃且美观；
参加博览会,曾到旧金山。

辇止坡老童家腊羊肉

田克恭

西安辇止坡老童家腊羊肉，是陕西著名传统食品，距今已有百余年的历史。在清光绪年间,有位姓童的回民,在西安市北广济街南口开羊肉铺,以卖羊肉为生。他的腊羊肉制作精细,调料考究,味鲜气香,每日顾客盈门。

1900 年,八国联军攻入北京,慈禧太后率光绪帝及王公亲贵仓皇出逃,来西安避难。有一天,慈禧出游,经广济街口时,闻到腊羊肉香味,便命停辇,品尝后赞不绝口,即令兵部尚书手书“辇止坡”三字,由店主制成金字招牌悬挂门首。从此辇止坡老童家腊羊肉名噪古都,饮誉四方,经久不衰。

老童家羊肉,选用鲜嫩的生羊肉作原料,经过整理、洗刷、老井水加盐浸泡,再放入掺有原汁肉汤的锅里,按量加进五香调料。先用旺火煮沸,继煨以文火,肉经煮熟后,再去骨上色、整理、晾干即成。

老童家的腊羊肉,是在继承传统制作方法的基础上,不断改进而成的。具有色泽红润,肉质酥松,鲜香不腻,咸烂可口的特点。逢年过节,人们竞相争购。不少海外华侨、港澳同胞来西安后,也慕名来辇止坡老童家品尝。由于老童家腊羊肉色、香、味俱佳,遐迩闻名,曾于 1982 年和 1984 年两次荣获中华人民共和国商业部优质产品奖。

红 豆 腐

王兴元

城固县上元观制作的红豆腐,已有二百多年的历史,是陕西省地方名特产品。它选用优质黄豆,先加工成豆腐块,经过晾晒、烘烤、发酵,然后加进辣椒、食盐、料酒和十九味中药材,逐块用菜叶包皮后,再装坛密封贮存。其特点是色鲜味美,余味悠长。具有健脾开胃,增加食欲之功能。

上元观红豆腐始于民间。1740 年当地一姓衡的商人创办手工作坊,规模逐步扩大。1900年8月，该镇红豆腐作坊业主大少爷的七太太,因认识皇太后慈禧和她的干女儿“安寡母”,被收封为义女,侍奉贵人当侍女。每年,都从家乡带去优质红豆腐做贡品。皇帝、皇太后品尝后味觉顿开,食欲大增,倍加赞赏,御笔书写“庆丰恒”匾牌一面,加以褒扬。从此,红豆腐作坊时来运转,名扬天下,各地客商慕名前来购买,在北京王府井大街成为抢手货。1934年12月,徐向前元帅率领红四方面军从周至县翻过秦岭到城固县,过汉江,路过上元观,作坊业主衡基山先生放鞭炮欢迎徐向前的部队，并用上元观蒸馍蘸红豆腐款待红军将士。解放后省供销社投资五万多元改造厂房，建成豆腐生产半自动机械化生产线,产量比过去增长二十倍,满足了市场供应。

神木粉皮

高　峰

粉皮或称“凉粉”、“粉卷”,以陕北神木所产最佳,堪称一绝。

神木粉皮,以豆类淀粉(绿豆粉最佳)为原料，加水和适量明矾调成汁，锅内加适量水烧开,将调好的淀粉汁均匀倒入,边倒边搅,不使沉淀,直至粉汁熟透,变为流质糊状。然后乘热把粉糊摊在特制的案板或平整干净的镀锌铁皮上,厚度2毫米左右,要尽量匀称。待粉糊晾冷凝固后,裁制成直径1寸左右,长约4寸的小卷,食时置卷掌上,摊开卷头,用刀切成数段,将手一抬,半透明的粉皮条落入碗中,然后加入香油、食醋、精盐、芥末、辣酱、香菜等调料。吃来清爽凉滑,香辣可口。细细品尝,余味无穷。这种粉皮还比较耐热,可做汤吃,还可作为消暑良药和下酒佳肴,因此,一年四季,畅销不衰。

黑米及其传说

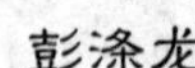

洋县茶坊、谢村等地,土地肥沃,泥色黝黯,特产黑米。自汉武以降,这种黑米即为宫廷所搜求。据说,八国联军入侵北京,慈禧太后、光绪皇帝和亲贵大臣逃到西安后,曾饬陕西地方官吏进贡,故黑米又有"贡米"之称。

黑米浑身纯黑,形如普通白米,稍扁。食用时,视量多寡,加几倍的水,先大火后转小火煮半小时,加入各种配料如白果、银耳、核桃仁、花生米、白糖之属,继以文火熬成稀粥,滑溜香甜,别具风味。若与红枣合煮,则红黑相间,增添色香,人誉之曰"双绝"。黑米有明目活血、滋阴养肾、健脾暖肝、乌发黑须、延年益寿的药用功能，对头昏、贫血、子宫脱垂、脱肛等症，亦有疗效。以黑米馈赠亲友，视为珍品。解放前官场中用黑米作晋见礼物，定邀欣赏。民谣有云："黑米一斗，携见知州；上司高兴，诸事顺手。"现今，黑米生产扩大，黑米羹等商品，颇受顾客青睐，行销国内外。

相传，黑米是二千一百多年前张骞发现的。张骞少壮时，勤奋好学，素有大志，尝读书湑水河畔(城固洋县交界处)，一日因困乏依柳而卧，梦入黑甜乡，到了上天斗牛宫，遇文曲星问何时可以发迹。答曰："黑米见，鸿图展。"尔后，他常常到草泽水稻中寻找黑米，终于在建元元年(前140)发现了黑色稻穗，暗自惊喜。次年，张骞应汉武帝之募，通西域，建立奇功，封博望侯。举世闻名的丝绸之路，亦于兹伊始。

镇安大板栗

胡晋生

镇安板栗以粒大饱满，皮薄色鲜，味美香甜，营养丰富，在国内外久享盛名。

镇安大板栗属乡土特产，三千多年前就闻名于世。《战国策》、《诗经》中均有记载。在二百多年前，《镇安县志》有关大板栗的记载说：主要

产在回龙梓桥沟和小木岭、栗湾堂一带。十颗板栗摆了一尺二寸长。曾奉献朝廷为贡品。因此，早在明末清初，我国古都北京、长安以及太原、洛阳等城的商贩，就挂有"镇安大板栗"，"镇安糖炒大板栗"等招牌。解放后，镇安板栗生产发展很快，产量每年达到六百至八百吨，有三百吨左右远销香港、日本、澳大利亚和非洲一些国家。1960年，林业部干果研究室正式认定"镇安大板栗"为优良品种。1978年，陕西省果树研究所将镇安大板栗载入《陕西果树志》。

镇安栗树嫁接后，三至四年挂果，十至十五年进入盛果期。株产一般为三十至四十斤，每颗栗果约重三十五至四十五克，最大的重达八十克。

营养丰富是镇安大板栗的独特之处。据测定，镇安板栗含淀粉为72.38%，脂肪为2.83%，糖为4.70%，维生素C、胡萝卜素、核黄素、钙、磷等含量，都大大超过了大米和面粉。

镇安大板栗炒食，沙绵、芳香、甜蜜，沁人心脾；如加工成各种食品、菜肴，不论煮蒸烩炖，都是脍炙人口的风味佳品。另外，生栗子还是一味良药，如患肾虚、腰腿无力症，每日生食三至五颗，细嚼慢咽，久必强健；如跌打损伤，筋骨肿痛或竹刺入肉者，将鲜栗捣烂如泥敷患处，便能止痛止血、排出脓物。

临潼石榴

赵小斌

公元前119年，汉博望侯张骞二次从西域诸国归来，捎回安石国的“安石榴”，从此，石榴在京都长安以南、终南山以北的上林苑一带落户安家。石榴夏季盛开橙红、黄、白色花朵，秋季结实。果可鲜食，皮入中药，花供观赏。

临潼石榴是“安石榴”的后裔。分甜、酸两类：当地人把甜石榴称“冰糖石榴”，占全县总产量百分之九十。酸石榴一般个儿大，皮薄，果实甜中透酸。两种石榴对化食止泻，都有相当疗效。如今临潼石榴园，西起斜口镇，东到大王乡，南抵骊山北坡华清池左右，已扩展到一万余亩，年产量达百万公斤。不但深受国内游客的喜爱，更得到国际友人和海外华侨的青睐。已发展成临潼的出口拳头产品。

陕西十大怪

袁庆武

解放前，陕西流传一些古老风俗，统称“十

大怪”。

一、房子半边盖：农村住房多盖半边。这种房子不用大木料，依墙而建，省地省料，花钱不多，叫“厦子房”。城市正屋两侧也多盖有“厦子房”。

二、窗纸糊在外：过去农村房子，其窗多用木条做成，朝大路方向开着。窗纸糊在外比糊在里边好看，也容易粘紧，不易被风吹开。

三、面条像裤带：把面粉用力揉和，擀成又宽又长的面，调上浆水和油泼辣子，味很鲜美。

四、饼子像锅盖：把发好的面烙成大饼子，香而松软，俗名“锅盔”，是地方名产。

五、凳子不坐蹲起来：在旧社会里，关中陕北农民因没钱置备凳子，长期以来养成一种习惯，不论集会、吃饭、聊天，都是就地蹲起来。

六、棉袄翻着穿，被子翻着盖：旧社会贫苦农民冬天把棉袄翻穿，里子朝外，面子朝里，内穿件衬衣。逢年过节，才把面子翻到外边穿，看起来是件新棉袄。被子翻盖也是这个道理。农村炕和灶连着，做饭时烟灰容易落到炕头的被子上，所以翻盖。

七、唱戏吵架分不开：陕西地方戏秦腔唱腔高亢奔放，听起来和吵架时的高喉咙大嗓子相似。

八、家家水围城：陕西家家人家都吃用玉米面做成的“搅团”。先把玉米面做成稠浆糊状，放凉，然后盛到有浆水的碗中，调上辣子和盐。它是陕西家常便饭。

九、户户浆水菜：用蔓茎或野菜做成酸菜，叫浆水菜，有点像泡菜，但别有风味。

十、帕子头上戴：关中妇女在劳动时，经常把手帕顶在头上。这样取用起来方便，又可防尘，汗水浸湿了也易干。习惯了就变成经常性的装束。

这些怪事其实并不怪，它历史地记载了陕西地区，尤其是关中道广大农民千百年来的生活习俗和生产劳动的实况。同时也显示了在西北黄土高原及其特有的地理环境中生活的陕西人民高昂豪放的性格，和艰辛淳朴的生活习惯的形成。

西安回民婚俗

赵明新

西安回民婚嫁习俗，号称十三关，即：

一、提亲：男方向女方求婚。介绍人称大媒。大媒若是男人，需二人，若是女人需四人。俗话说，是媒不是媒，跑上七八回。

二、见面：有的采取走亲串友的方式，一方暗中窥看。或者约定时间和地点，男方由媒人陪同，女方由亲友陪伴，直接见面。

三、愿意：男女双方本人同意。旧社会，女子多不出门，对婚姻大事难以启口。有的一笑跑开，有的激动得哭了而无他言，以示应允。

四、了解：此外还要通过外部了解对象情况。一般多是女方通过关系，了解未来女婿的人品是否可靠。

五、去人：事已酝酿成熟，就要正式订婚了。坊上人叫“给话”。也叫明扬“尼卡哈”（“尼卡哈”是阿拉伯文名词，即婚姻之意）。这是关键性的一关。先由男方宴请本坊阿訇和德高望重的人士，以及亲友、介绍人，宴后，即趋车到女家，人员有时达数十人之众，以示对女方的敬重。

六、攒手：阿訇一行人到后，女方接待，先由阿訇表话，说些美满姻缘，天作之合一类的祝颂词，希望女方家长“给话”（允媒）。迨女方家长说“有劳大家劳步”的客气话后，阿訇即说：“某府和某府已正式结为姻亲。”双方家长（女方由舅父或叔父作代表）随即“攒手”（握手）互道“色兰”（平安）。女方即敬茶，名曰“喜茶”。同时男方也送来款待阿訇的同样菜肴，名曰“换茶”。女方遂宴客，款待甜食糖果以佐喜茶。到此高潮，就算订婚仪式成立。

七、送帖：约定结婚吉期，婚期一定要定在某月主麻日（星期五）的前一天，即“潘至闪白”（星期四）。因为主麻日（星期五）新娘回门，女方认为这是他们家的大喜事。

八、过礼：结婚前的一个主麻日过彩礼。彩礼的数量，有约定的，有不约定的。

九、过事：即正式结婚：

（一）结婚的前一天，女方在家摆嫁妆，让人参观，名曰“发海棠”。当晚过嫁妆到男家。

(二)结婚当天上午，男女双方各自在家款待自己的亲友。

(三)下午两点钟左右，新郎由陪客(傧相)伴同到女家“翻一扎卜”，即举行宗教结婚仪式。

(四)过人：当晚初更时分，由娘家亲人用轿车送女到婆家。新郎新娘暨双方老人和近亲举行家宴。

十、接女：结婚第二天太阳出来以前，娘家哥到男家将新娘接回娘家，全家热闹一番，为出阁女“洗混身”。

十一、回家：新郎于结婚第二天，由陪客(傧相)陪同到女家回门。一入街巷，逢人作揖，名曰“行长礼”。街坊们给新郎披红，以示庆贺。

十二、送女：新娘在娘家住一天，同家人聚欢后，第三天早上回婆家。

十三、送食：新娘被送回婆家的当天，娘家须早午两餐送食，食物丰盛而味美，这是因为姑娘初到婆家，不好意思吃饭之故。但多为婆家人享受。

以上即所谓西安回民婚嫁十三关。此外还要谢媒。凡此种种，皆需礼物行前，娶个媳妇，所费不赀。

西安回民食俗

赵明新

西安回民坊流行着：吃饭离不了咸(han 方音)汤油，睡觉离不了热炕被(bi 方音)儿。所谓"咸汤油"，就是煮腊羊肉的汤，和浮在汤上的油，既含有肉的自然香味，又有"调和味"，是牛羊肉泡馍不可缺少的物料。

一、腊羊肉：

1.选料：肉肥中瘦，以六个月至一岁的白绵羊为准，既有油也有肉。

2.制坯：羊宰过后，剥皮、掏脏、剔除脊骨，余骨使稍离肉，砸断。肉品平展不皱。

3.腌肉：每锅七只羊，约二百斤。放在缸内，加盐七斤，添水(最好是带咸味的土井水)腌泡，每天倒缸。冬天腌三至七天，夏天一至三天。肉腌到时，成品切开艳红无青。

4.下锅：用生羊骨铺锅底。羊肉面上涂匀吃红，一层一层的平放锅内，盖上木制板，上压洗净青石，将肉压紧，不使飘浮。加盐七斤，添水淹过肉三至五寸，再将调料袋投向锅中。袋内计小香五两，大香一两五钱，花椒三两，桂皮二两，草果八钱，良姜七钱，共装纱布袋内扎口(调料均按十六两秤计算)。

5.烹煮：用猛火约煮一点半钟，改用小火，围炭块，停止煽风。用温火约焖两点半钟，共需四个小时。此即“猛火煮，细火煨”。浮到上面的油，已形成严密锅盖，对增添腊羊肉的鲜味起一定作用。

6.出锅：先将浮油(即腊羊油)另外盛放。取出压石及木板，将熟肉逐个取出放在流盘(三边有浅边框，一边空着的木盘，能盛一只羊的羊肉)上，用热汤冲下浮油，肉面上不留油的痕迹。趁热取出余骨，这就是腊羊肉的成品。

二、牛羊肉泡馍：

1.选料：(一)羊肉肥嫩，牛肉要四岁口的牛，只取前半截。(二)特粉饦饦馍。

2.牛羊肉剔骨净肉，漂洗后，牛羊骨垫锅底，羊肉切成四块，牛肉切成约十斤重的块，放入锅内，加水放盐投入调料袋，猛火煮，细火煨。牛羊肉必须分开煮，不能放在一起煮。

3.调料：每百斤肉需桂皮二两，草果一两，花椒三两，八角二两，小茴香五两，砂仁一两，生姜六两，将这些调料同装入纱布袋，扎口。

4.要求：煮出来的肉，肥而不腻，瘦而不柴。

5.制作：将饦饦馍掰碎放在碗内，再将熟肉切成小块，一般在二至三两，按一下放在馍上。用老汤一勺左右，放入炒瓢内，加两倍清水，将老汤破开，浓淡适宜，猛火催滚，再把馍和肉倒入锅内，加泡好的粉丝、蒜苗、味精等，将馍煮透，舀腊羊油约三钱淋入锅内翻匀，盛入碗内即成。

6.品种:(一)口汤,食后仅余汤一口。

(二)"涝汤",食后,余汤数口。

(三)"水围城",先作干爆盛入碗中,再爆汤浇在馍的周围,使馍在碗中形如孤岛。

(四)"干爆",将馍下汤锅中,在煮的过程中,馍将汤吸干,但不过软。用勺舀油少许淋在馍上翻动,油干再淋,这样四五次即成"干爆",其特点是香软无汤。

附说:

穆斯林对饮食的限制只在动物上。飞禽只选用鸡、鸭、鹅、鹌鹑、鸽子等;走兽只选用牛、羊、驼、黄羊、鹿等草食动物;猛兽不用。而列为禁食的有五种:(一) 动物自死的;(二) 血;(三)猪肉;(四)酒及其他麻醉品;(五)没有诵真主尊名而宰的牛、羊、鸡、鸭等

西安回民丧俗

赵明新

回民办理丧事,以"亡人入土为安",三天不埋,列为禁条。丧葬过程是:

清水洗、白布包、绿轿抬、黄土埋。

一、清水洗:回民死了人,平日保持的大、小净,就失去了。需要再用清温水佐以皂角水,为

亡者洗大、小净，用白麻纸将水迹沾干。再用冰片、樟脑、麝香等香料，抹在眼角、嘴角等七窍的外边及封住肚脐、前后窍，以防入土后虫蚁钻入体内。

二、白布包：用生白布四十尺至五十尺，制成“克番”(裹尸布)，男的三件，女的五件。

1.大卧单：用两幅布，中间缝好。长短与亡人身材相等，两端各余一尺。

2.小卧单：用布一幅半，长短与亡人相等，中间缝合好。

3.“隔密素”(内衣，也叫准白)：长短由脖项到脚踝骨，前后相等，由折叠处中间挖空作领，挖袖在腋处，留两系带，不需缝制。妇女多一盖头和一双水袜。用法：

①大卧单上撒红花水，铺放在尸床上，先将腰带放在腰部，再将小卧单铺上，撒草香一至二斤，再将内衣铺上，揭开备用。

②将洗净的亡人，轻轻抬放在内衣上，将揭起的两边覆盖亡人身上，将腋带系好。先裹小卧单，先左后右；再裹上大卧单，先左后右。系好腰带。上下两端余布，用布带系牢。

三、绿轿抬：绿色象征天国景色。

1.将包好的亡人放在“塔步”(即亡人的木匣子)内。

2.将“塔步”抬放在礼拜殿前，由阿訇率领众人为亡人举行殡礼，即站“者拿则”。

3.殡礼举行后，将“塔步”放在绿围轿内抬往墓地。抬轿的每四十步换一次人。

四、黄土埋：

1.预先南北向掘墓坑。

①明坑：宽70厘米，长210厘米，深240厘米。向下稍宽。

②偏塘：在底部西壁掏挖偏塘，门高约100厘米，宽约130厘米。

③内径：高100厘米，宽80厘米，长210厘米(根据亡人胖瘦高矮而定长短宽窄)。

④撒香：将亲友所送之草香全撒塘内。

2.将亡人由“塔步”内移上皮席，两边各有个环孔，再用挂钩，由八人提起，向墓坑口徐徐下放。由预先下去的人接住，抽出皮席。二人将亡人托住慢慢由脚起送入偏塘，将亡人腰带及两头绑带全部解开。将面部露出，并使西向。

3.将备用的七十块土坯，逐个送下明坑，待封塘的人出来后，众人开始向明坑填土。务要踩实。封坟南北后，呈下宽上窄的长方形。

4.在封塘时，丧主及诸亲友和所有前来送殡的人都要跪下，听阿訇诵经，各人接“堵问”(祈祷)，双手捧在胸前低声念“阿密乃”(祈祷词)。诵经完毕，齐用双手摸自己面部，以示祈祷完殡葬仪式结束。丧主尽哀而别。不守墓。

后 记

陕西有灿烂的古代文化，关中在历史上曾是周、秦、汉、唐等十多个王朝建都的地方，并成为当时全国的政治、经济、文化中心。远通西域的“丝绸之路”的东方起点就在长安。三秦大地钟灵毓秀，历史名人灿若星辰，杰出的诗人、学者、艺术家、科学家如司马迁、班固、李白、杜甫、白居易、韩愈、阎立本、褚遂良、孙思邈等，或出生于陕西，或长期在这里生活和居住，留下了许多不朽的篇章，丰富了祖国的文化宝藏。

陕西不仅是古代文化的发祥地，而且古迹名胜遍布全省。有凝聚海内外中华民族炎黄子孙的桥山黄帝陵，有举世闻名的“世界第八奇迹”秦陵兵马俑，有奇拔峻秀的华山，有临潼华清池，扶风法门寺，勉县武侯祠，西安碑林，大小雁塔，钟鼓二楼等，这些自然风光和人文景观，千姿百态，神奇秀丽，引人入胜，使游人流连忘返。

历史进入19世纪中叶以来，陕西人民高举

反帝反封建的大旗，汇成了一支不可抗拒的革命洪流。太平天国为壮大革命力量，曾派军远征西北。陕西的回、汉人民掀起了反清武装斗争。1911年孙中山领导的辛亥革命，陕西、湖南首先响应。蒲城井勿幕由日本回陕后，发展同盟会，联络新军，响应起义，决心推翻清王朝。中国共产党建立之后，魏野畴、李子洲、刘志丹、谢子长等人，在陕西传播马列主义，进行建党活动，组建工农武装，发动了震惊敌胆的清涧兵暴、渭华起义、旬邑起义。

1935年，中央红军北上抗日，长征到达陕北。在全国人民要求抗日救亡高潮推动下，张学良、杨虎城两将军于1936年12月12日，发动了著名的“西安事变”。中国共产党正确地确定了和平解决西安事变的方针，促成了国共两党第二次合作，形成了抗日民族统一战线。党中央、毛主席在延安指挥全国抗日战争和解放战争，取得了历史性的伟大胜利。至今延安市保留的革命旧址凤凰山、杨家岭、枣园、王家坪等老一辈革命家居住过的地方有二十余处。延安四周环山，形势险要，市北清凉山是古迹荟萃之地，宝塔山上的九级塔，是宋代遗物。西安至延安的火车畅通之后，来这里参观的中外游客将会更多起来。

陕西有三千多万勤劳淳朴的人民，有相当雄厚的现代化物质技术基础，有丰富的自然资源。人民生活不断改善，全省闻名的传统名餐、

名菜、地方风味食品有一百多种。陕西在社会主义建设时期取得了显著的成就，我们要把陕西全貌反映出来，不是一件容易的事。何况《秦中旧事》所记的仅是清末民初到1949年期间一些遗闻掌故，只不过是整个陕西宝库中的一小部分，可谓凤毛麟角吧。

根据1990年6月中央文史馆在上海召开的《新编文史笔记》丛书会议的宗旨，我们编辑组于同年8月正式开展工作。在工作中，我们脚踏实地，深入社会各界进行组稿，以保证从充足的稿件中筛选好的稿子。编稿中坚持质量第一，从严把关。对规定的时间上限和下限，少数稿件虽有突破，也是为了服从内容的需要。

《秦中旧事》的出版，要感谢我馆馆员和社会各界人士的大力支持，半年来收到来稿七百余篇，本书选用了一百零二篇，分十六个栏目，八万余字。在整个组稿、审稿、定稿过程中，我馆编辑组全体成员高元白、张培礼、孔珞、江弘基、高泽、彭涤龙、翁维谦、杨永乾、马骧、吴醒民、徐耿华、祁恒文、冀迁运等同志，不辞劳苦，夜以继日，勤奋工作，作出了各自的贡献。同时，我们还得到了省政府和省委统战部领导同志的关怀和支持，在此表示深切感谢。由于我们经验不足，本书中难免会有这样那样的缺点和问题，希望广大读者批评指正。

编　者